毒になる親

スーザン・フォワード　玉置 悟＝訳

講談社＋α文庫
プラスアルファ

はじめに

「そりゃあ、子供のころ親父にはよくぶたれたけど、それは僕が間違った方向にいかないようにしつけるためだったんですよ。そのことと、僕の結婚が破綻《はたん》したことが、いったいどう関係あるんですか」

そう言ったのは、腕がいいことで評判の三十八歳になる整形外科医だった。彼は六年間一緒に暮らした妻に出ていかれ、私のところにカウンセリングを受けにきていた。なんとかして妻には戻ってほしいのだが、彼女のほうでは彼がかんしゃく持ちの性格をなおさないかぎり絶対に戻らないと言っているという。彼女は、彼が腹を立てると突然怒りを爆発させることに怯《おび》え、しかも情け容赦もなくののしるのにはもう疲れきっていた。彼は自分がかんしゃく持ちで時として口やかましくなることはわかっているが、まさかそのために彼女が出ていくとは思わなかったという。

私は彼自身のことについて質問しながら面談を進めていった。両親についてたずねると、彼は微笑《ほほえ》み、著名な心臓外科医だという父親について誇らしげに語った。彼の話によると、父はすべての患者から聖人のように慕われている素晴らしい人物で、その父がいなかったら自分は医師にはならなかっただろうという。

私はつぎに、その父との現在の関係はどうかとたずねてみた。彼はちょっと落ちつかなげに笑った。最近、整形外科をやめて自然療法などの分野に進むことを考えていると言ったところ、父は激怒し、それ以来、話をするたびに言い争いになるのだという。自然療法は正統的な西洋医学の世界ではいわゆる主流とはみなされておらず、彼の父はそのようなものの価値をまったく認めていなかった。つい前日にもその話がまたむしかえされ、怒った父は、彼のような人間は一家の一員とは見なさないと宣言したという。それで彼は非常に傷ついた。

彼が語った父親の姿は、明らかに彼が主張するほど素晴らしい人物のものではなかった。私は彼が父親について話している時に、両手の指を組んだり離したりして非常に落ちつかないことに気がついた。

父親はいつもそのように独裁的なのかとたずねると、彼は答えた。

「そんなことはないんですよ。父はよく大声でわめいたり怒鳴ったりしたし、子供のころには叩《たた》かれたこともよくあったけど、でもそれはどこの家でもあることでしょう。父が特に独裁的だったとは思いません」

私はその時、「叩かれた」と言った時の彼の声が微妙に変化したことに気づいた。そこで私は叩かれた時の状況についてさらに詳しくたずねてみた。彼ははじめあいまいに受け答えしていたが、しばらく話しているうちに、子供のころにはなんと週に二、三回はベルトで叩かれていたということがわかったのである。ちょっと口答えしたり、学校で悪い成績を取ったり、なにかすべきことを忘れたりしただけで、父の罰を受けるには十分だった。叩かれる場所は決まっておらず、背中、脚、腕、手、おしりなど、その時によってまちまちだったという。

私はつぎに、叩かれた時にはどれくらいの傷になったのかと聞いてみた。ケガをするほどひどいことはなかったと彼は答え、父親が叩いたのは息子のためを思ってのことだったのだと主張した。さらに私が、そういう時には父親が恐ろしくなかったかとたずねると、怖かったことは認めたものの、なおも父親は息子を矯正《きょうせい》しようとしていたのだと言い張った。だが彼はその時、私と目を合わせなかった。そして私がさらに質問を続けていると言葉につまりはじめ、とうとう目に涙が浮かんだのが見えた。

私は胃の中に何かが突き上げてくるのを感じた。

彼の抵抗はそこまでだった。その時、彼はひどい苦しみと闘いながらも、長いあいだ心の奥にひそんでいた〝怒り〟の原因が何だったのかを生まれてはじめて認めたのである。これこそ、腹を立てやすい性格の根源だったのだ。彼は子供の時から、自分でもはっきりと意識することのないまま、父親に対するいきどころのない怒りをずっと抑え込んできた。それはときどき噴火する火山のように、外部からの精神的なプレッシャーが高まると爆発した。そしてその爆発は手近にいる人間ならだれでもかまわず向けられ、たいていの場合は妻がその対象となったのだ。

ここまでわかれば、もう彼のすべきことはひとつしかない。この事実を正直に認め、心のなかにいまでも住んでいる「傷ついた少年」を癒《いや》すことである。

その晩、私は家に帰ってからも彼のことが頭から離れなかった。親からいかにひどい扱いを受け、みじめな思いをしながら育ったかということをやっと認めた時の、目に涙をためた彼の顔が何度もまぶたの裏に浮かんだ。

私はその前から、彼と似たような問題を抱える数千人の成人男女を長年にわたってカウンセリングしてきた。彼らはみな、いずれも愛情の欠ける親によって子供時代を破壊され、その結果、心にネガティブなパターンをセットされてしまっていた。そして、そのために大人になった現在も生活が大きく影響され、いまだにその心のパターンに人生がコントロールされているという問題に苦しんでいた。私は思った。世の中には、彼らのほかにも同じような理由で人生がうまくいかず、だがなぜそうなのか自分ではわからずに苦しんでいる人たちは何百万人といるに違いない、と。私が本書を書く気になったのはその時だった。

なぜ過去を振り返る必要があるのか

いまあげた整形外科医の物語は、特にめずらしい話ではない。私はこれまでにもカウンセラー（心理セラピスト）として、十八年間に（訳注：本書が書かれたのは一九八九年であり、著者はその後も引き続き活動を続けている）数千人の悩める人々を診《み》てきたが、その多くは子供時代に親からしっかりと心を支えてもらった体験がなく、むしろその逆に心や体を傷つけられたり、過大な圧力をかけられ、そのために心の健全な成長が妨げられ、自分が生きていることに価値を見いだせない苦しみを抱えていた。

ところがいまあげた整形外科医の例でもよくわかるように、自分の身に起きている問題や悩みと「親」との因果関係について気づいている人はほとんどいない。これはよくある心理的な盲点なのである。なぜかといえば、ほとんどの人は、自分の人生を左右している問題のもっとも大きな要因が親であると考えることには抵抗を感じるからである。

一方、カウンセラーの取る手法のほうは、かつては被治療者の幼児期からの体験を分析することに多くの比重が置かれていたが、最近の傾向としては〝いま現在〟のことのみに注目し、過去の出来事には触れないいま現在の行動パターンや心理機能を改善することに力点が置かれている。治療法がこのように変わってきた主な理由は、過去にまでさかのぼって体験を分析して行う方法は膨大な時間がかかり、それにともなって被治療者の負担する治療費もかさみ、そのわりには効果がはかばかしくないこともあるからだと考えられる。

私自身、〝いま現在〟の問題だけに焦点を合わせる短期集中的セラピーの利点はよく認識しており、その方法に異論をとなえるつもりはまったくない。しかし、現在あらわれている症状だけを対象として取り扱う方法は対症療法であり、それだけでは十分でないことは経験から実感している。治療をより確実なものにしようとするなら、どうしたって現在の症状を作り出すもとになっている〝根本原因〟を相手にしなくてはならなくなるのだ。〝いま現在〟の問題に直接取り組むのと同時に、その原因となっている過去のトラウマから本人を切り離す作業を行って、はじめてセラピーは効果的なものとなるのである。

この整形外科医はセラピーを通じて怒りをコントロールするためのテクニックを学ぶ必要があったが、その効果を永続させ、ストレスにさらされた時に常に安定した精神状態を保てるようになるには、自分を内部から根本的に変える必要があった。そのためには、やはり子供時代に体験した「心の痛み」にまでさかのぼらねばならなかったのだ。

私たちはだれでも、子供の時に親から心に「感情の種」を植えられる。そしてその「種」は、本人が成長するとともに芽を出し成長していく。それは、ある親子にとっては「愛情」「他人を尊重する心」「独立心」などに成長する「種」であるが、そうでない多くの家庭においては、「恐れる心」「不安感」「過剰で不必要な義務感」「罪悪感」「いくらやっても不十分な気分」などに成長する種である。

もしあなたが後者に属するひとりなら、本書はきっとあなたの役に立つだろう。あなたの心に植えられた種は、あなたが成長するとともに心のなかに根を張る雑草となり、いまではあなたが夢にも思わなかったような形で人生のさまざまな局面に侵入しているからである。その雑草はあなたが気づかないあいだに生え広がって、対人関係や仕事や結婚生活を危うくさせる原因となっているかもしれない。少なくとも、あなたはその雑草のおかげで、ひとりの人間として存在していることへの自信が持ちにくくなっていることは間違いない。

本書は、あなたが心のなかの雑草の茂みを見つけだし、それはいったい何なのかを解き明かし、それを根絶《こんぜつ》するのを助けるために書かれたものである。

「毒になる親」とは

この世に完全な親などというものは存在しない。どんな親にも欠陥はあり、だれでも時にはそれをさらけ出すことはあるものだ。この私自身、自分の子供に対してひどいことをしてしまったことはある。どんな親でも一日二十四時間子供に気を配っていることなど不可能だし、時には大声を張り上げてしまうこともあるだろう。それに、時には子供をコントロールし過ぎることもあるだろうし、たまになら、怒ってお尻を叩くこともあるかもしれない。

そういう失敗をしたら親として失格なのかといえば、もちろんそんなことはない。親といえども人間だし、自分自身のことでもたくさん問題を抱えているのが普通なのだ。親子の間に基本的な愛情と信頼感が十分にあれば、たまに親が怒りを爆発させることがあっても子供は大丈夫なものなのである。

ところが世の中には、子供に対するネガティブな行動パターンが執拗に継続し、それが子供の人生を支配するようになってしまう親がたくさんいる。子供に害悪を及ぼす親とは、そういう親のことをいう。

私はこのような親をどう呼んだらいいのかとさんざん考えてみた。そして、さまざまなパターンはあるにせよ、そういうたぐいの親を一言で表現するのにぴったりな言葉はないものかと考えるたびに、頭をよぎったのは、「有毒な」とか「毒になる」という言葉だった。ちょうど公害を引き起こす有毒物質が人体に害を与えるのと同じように、こういう親によって子供の心に加えられる傷はしだいにその子供の全存在にわたって広がり、心を蝕《むしば》んでいくからである。そして子供が成長するに従い、負わされた苦しみもまた大きくなっていく。このような、成長した後もなお子供を苦しめ続ける、いわば「くり返し継続しつづけるトラウマ」とでも呼べる苦痛の原因となっている親を表現するのに、これ以上ぴったりな言葉があるだろうか？

ところで、いまここで「くり返し継続しつづける」と書いたが、そうでなくても当てはまる例外が二つだけある。それは肉体的な暴力と性的な行為である。これらの場合は、ほんの一回の出来事であっても、子供の心には計り知れないネガティブな影響を与えてしまうことがある。

私たち人間にとって、子育てというのは決定的に重要な技術を必要とする仕事のひとつなのだが、残念なことに、ほとんどの家庭においては経験から学んだ勘を頼りに手探りで進んでいかなくてはならないのが実状だ。この分野の研究が進んだのはごく最近のことであり、私たちの親の世代までは、子育ての方法については、ほとんどの場合あまりそれが上手ではない人々、つまり彼ら自身の親から学ぶ以外になかったのである。私たちは親が自分を育てたやり方を見て気づかないあいだに学び、自分に子供ができた時には無意識のうちにその多くを模倣《もほう》してしまう。こうして世代から世代へと受け継がれてきた子育てのための古いアドバイスには、いまでははっきりいって間違っていると言えるものがたくさんある。「子供は叩いて育てろ」などはそのいい例である。

「毒になる親」は子供の将来にどのような影響を与えるか

「毒になる親」に育てられた子供は、大人になってからどのような問題を抱えることになるのだろうか？　子供の時に体罰を加えられていたにせよ、いつも気持ちを踏みにじられ、干渉され、コントロールされてばかりいたにせよ、粗末《そまつ》に扱われていつもひとりぼっちにされていたにせよ、性的な行為をされていたにせよ、残酷な言葉で傷つけられていたにせよ、過保護にされていたにせよ、後ろめたい気持ちにさせられてばかりいたにせよ、いずれもほとんどの場合、その子供は成長してから驚くほど似たような症状を示す。どういう症状かといえば、「一人の人間として存在していることへの自信が傷つけられており、自己破壊的な傾向を示す」ということである。そして、彼らはほとんど全員といっていいくらい、いずれも自分に価値を見いだすことが困難で、人から本当に愛される自信がなく、そして何をしても自分は不十分であるように感じているのである。

「毒になる親」の子供がこのように感じるのは、意識的であれ無意識的であれ、親から迫害を受けた時に、「自分がいけなかったからなのだろう」と感じるためであることが多い。外部の世界から自分を守るすべがなく、生活のすべてを親に依存している小さな子供は、親が怒っているのは自分がなにか〝悪いこと〟をしたからだろうと感じるのが普通である。自分を守ってくれるはずの親が実は信頼できない人間だったなどということは、小さな子供には考えもつかないからだ。

そのような子供は、「罪悪感（なんとなく後ろめたい感じ）」や「自分が不十分な感じ」を心の奥に抱えたまま育っているので、成長して大人になった時にポジティブで落ちついた自己像を持つことが非常に困難になる。自分に対する基本的な自信がなく、生きていくことの価値がなかなか見いだせないようになるのはそのためなのだ。この心のメカニズムは成長後も継続し、人生のさまざまな局面に影響を及ぼすようになる。

自分をよく見てみよう

自分の親が「毒になる親」かどうか（すでに亡くなっている場合には、生存中そうだったか）を判断するのは、常にたやすいとはかぎらない。親との関係がうまくいっていない人はたくさんいるが、それだけの理由でその親が「毒になる親」だとは言えないからだ。なかには、親がひどいのか、それとも自分が繊細すぎるのか、と頭を悩ましている人も多いことだろう。

以下に示すのは、その判断を助けるためのヒントである。これらの質問を読んで不安を感じたり、居心地悪く感じる人もいるかもしれないが、もしそうなっても心配する必要はない。親はどれほど自分を傷つけたのだろうか、などと考えるのは楽しいことではないのが普通だからだ。まして、傷つけられていたことをはっきり認識できる人は、その事実について自分に正直に語るのはつらいのが当然だ。だからもし自分の過去を振り返ってみることが苦痛だったとしても、それはまったく正常な反応である。

以下で「親」と呼んでいるのは、父親でも母親でもどちらでもかまわない。

(1) あなたが子供だった時、

1. あなたの親は、あなたの人間としての価値を否定するようなことを言ったり、ひどい言葉であなたを侮辱したり、ののしったりしたか。あなたを始終批判してばかりいたか。
2. あなたの親は、あなたを叱る時に体罰を加えたか。あなたはベルトやヘアブラシそのほかのものでぶたれたか。
3. あなたの親は、しょっちゅう酒に酔っていたり、薬物を使用したりしていたか。あなたはその光景を見て、頭が混乱したり、嫌な気がしたり、怖くなったり、傷ついたり、恥ずかしいことだと感じたことがあるか。

4. あなたの親は、いつも精神状態が不安定だったり、体が不調で、そのためにいつもひどくふさぎ込んでいたり、あなたをいつもひとりぼっちにして放っていたか。

5. あなたの親はいろいろな問題を抱えており、そのためにあなたは彼（彼女）の世話をしなければならなかったか。

6. あなたの親は、あなたに対して何か秘密を守らなくてはならないようなことをしたことがあるか。あなたに対して何らかの性的な行為をしたことがあるか。

7. あなたは親を怖がっていることが多かったか。

8. あなたは親に対して腹を立ててもかまわなかったか。それとも、親に対してそういう感情を表現することは怖くてできなかったか。

(2) 大人としての現在のあなたは、

1. 異性関係を含み、いつも人との関係がこじれたり、いつも相手を踏みにじったり踏みにじられたりして争いになるか。

2. あまり心を開いて人と親しくなりすぎると、その相手から傷つけられたり関係を切られたりすると思うか。

3. たいていいつも、人との関係では悪い結末を予想しているか。人生全般についてはどうか。

4. 自分はどんな人間か、自分はどう感じているか、何をしたいのか、といったことを考えるのは難しいか。
5. 自分の本当の顔を知られたら、人から好かれなくなるのではと思うか。
6. 何かがうまくいきはじめると心配になってくるか。自分が〝ニセ物〟であることをだれかに見抜かれはしないかと不安になるか。
7. はっきりわかる理由が見あたらないのに、時どき無性に腹が立ったり、なんとなく悲しくなったりすることがあるか。
8. 何事も完全でないと気がすまないか。
9. リラックスしたり、楽しく時間を過ごすことが苦手か。
10. まったく悪意はなく、人によくしようと思っているのに、気がつくと「まるで自分の親みたい」に行動をしていることがあるか。

(3) 現在のあなたと親との関係

1. あなたの親はいまだにあなたを子供のように扱うか。
2. あなたが人生において決定することの多くは、親がそれをどう思うだろうかということが基本になっているか。

3. 親と離れて暮らしている場合、あなたはこれから親と会うことになっているという時や、親と一緒に時間を過ごした後で、精神的、肉体的にはなはだしい反応が出るか。
4. あなたは親の考えに反対するのに勇気がいるか。
5. あなたの親は、あなたを威圧したり、罪悪感を感じさせたりして、あなたを自分の思い通りに行動させようとするか。
6. あなたの親は、金銭的なことを利用して、あなたを自分の思い通りに行動させようとするか。
7. 親がどういう気分でいるかはあなたの責任だと思うか。もし親が不幸だとしたら、それはあなたのせいだと思うか。親に幸福感を感じさせるのはあなたの仕事だと思うか。
8. あなたが何をしても親は満足しないと思うか。
9. あなたはいつの日か親が変わってくれる時がくると思っているか。

これらの質問に対するあなたの答えの少なくとも三分の一が「イエス」だったら、本書はあなたの助けになるに違いない。本書で述べられているさまざまなタイプの「毒になる親」のなかには、あなたには直接関係ないと思われるものもあるかもしれないが、どのようなタイプの「毒になる親」であっても、子供の心に残す傷は基本的に同じようなものであるということを忘れないでほしい。例えば、親がアル中ではなかったとしても、ほかのタイプの

「毒になる親」だった場合、子供は精神不安定、心の混乱、楽しい子供時代の喪失など、アル中の家庭に育った子供が示す典型的な症状とほぼ似たような症状を示す。

それゆえ、あなたの親がどのような種類の「毒になる親」であったとしても、あなたが自分を回復するための原理と方法は似たようなものになる。したがって、自分のケースにはあてはまらないと思われる章もすべて通読してほしい。

「毒になる親」の遺産から自己を解放する道

もしあなたが「毒になる親」に育てられた子供だったとしても、現在すでに大人になっているとすれば、親から負わされた罪悪感や自己不信などのネガティブな遺産から自分を解放する方法はたくさんある。そのために本書が示している希望とは、あなたの親がたちまち変わるなどという魔法のような偽りの希望ではなく、あなたの心を親の有害な影響から心理学的に解き放つ、現実的な希望なのだ。あなたに必要なことは、勇気を出すことだけだ。

愛情豊かな親は、死んだ後も心のなかで私たちをあたたかく励ましてくれるが、その反対に、すでに死亡している「毒になる親」によって相変わらずコントロールされ続けている人もたくさんいる。その状態は、心理学的な幽霊につきまとわれているようなものだと言ってもいい。そういう人においては、親の期待や要求や、そのために負わされた無実の罪悪感が、親が死んで何年たっても消えないのである。

なかには、すでに若いころから、そのような親の害毒から自分を解放しなくてはならないと感じていた人もいるだろう。そのことで親と対決したことがある人もいるかもしれない。私のところにカウンセリングを受けにきていたある女性は、いつも口ぐせのようにこう言っていた。

「親に人生をコントロールされたりなどするものですか。親なんか大っ嫌いなんです。むこうもそれは知っていますよ」

けれども私と話しているうちに、彼女はそのように怒りを煽《あお》られているという事実こそ、いまだに心をコントロールされている証拠なのだということにしだいに気づきはじめた。彼女はそのようにして心の奥にたまった怒りにエネルギーを注ぐことによって、人生のほかの部分で必要としているエネルギーを失っていたのだ。

「毒になる親」とはっきり向き合って対決することは、過去の亡霊や現在も生き続けている悪魔を追い払うための重要なワンステップではあるが、この女性の例でもわかるように、自分の心が怒りに支配されている状態ではけっして行うべきではない。

「自分の問題は自分の責任ではないか」ということについて

「自分の問題を他人のせいにしてはならない」というのはもちろん正しい。けれども結論から先に言えば、それをそのまま幼い子供に当てはめることはできない。**自分を守るすべを知**

らない子供だった時に大人からされたことに対して、あなたに責任はないのである。幼い子供に対して親がしたことに関するかぎり、すべての責任はその親が負わなければならない。

もちろん、私たちは、大人になってから後の人生については自分に責任がある。だが、その人間がどのような大人に成長するかということは、成長の過程において自分の力ではコントロールできない家庭環境というものによって大きく影響され、それによってその後の人生の多くが決定されてしまうということも忘れてはならない。

大人としてのあなたの責任とは、現在自分が抱えている問題に対していますぐ建設的な対策を講じ、問題を解決する努力をすることなのである。

本書にできること

これからあなたが出発する旅は、嘘のない、そして発見のためのとても重要な旅だ。この旅が終わった時、あなたはいままでなかったほど自分の人生を自分の意思で生きていることを実感するだろう。ただし、本書を読んだからといって、あなたの抱えている問題が魔法のようにたちまち消え失せるなどというようなことは約束できない。けれども、もしあなたに、本書に書かれていることを学び、行動する勇気と強さがあれば、あなたはひとりの人間として本来与えられているべきにもかかわらず親に奪われてしまった「力」や、人間として本来備えているべき尊厳のほとんどを取り戻すことができるようになるだろう。

とはいえ、その作業には「大きな心の痛みと苦しみ」という代価を支払わねばならない。いままで自分を防衛するために何重にもかぶっていた殻をひとつずつ剝《は》いでいくと、それまではっきり意識していなかった「怒り」「不安」「心の傷」そして特に「深い悲しみ」を体験することになるからだ。そして、いままでずっと抱いていた親の虚像が破壊されれば、いいようのない孤独感や「捨てられた気分」に襲われるだろう。それゆえ、本書に書かれている「自己を回復するための方法」を実行するにあたっては、けっして先を急がず、自分にあったペースで進めてほしい。もし抵抗を感じて実行が困難だと感じたら、無理なく乗り越えられるようになるまでじっくり時間をかけてほしい。大切なのは前進することであって、スピードの速さではない。

読者の理解を助けるため、本書には私がカウンセリングした人たちの具体例がいくつか載《の》せてあるが、これらはすべて実例であり、私の治療記録やカセットに録音した会話から再現したものである。極端な例ばかりを集めたのだろうと思われる人もいるかもしれないが、一部の例を除いて、これらは実は典型的な例なのである。こういうことは日常いたるところでくり返されており、私は仕事柄こういう人々の話を毎日のように聞かされている。

本書は二部に分かれているが、第一部では「毒になる親」にはどのようなタイプがあるかについて、第二部ではそのような親を持った人が自己を回復するためにはどうしたらよいのかという方法について述べてある。

「毒になる親」から受ける「ネガティブな力」を減らしていくには時間がかかる。けれどもあきらめずに一歩一歩進んでいくことによって、子供のころからずっと押し隠されていた本当の自分を解放し、内面に閉じ込められていた力をしだいに出すことができるようになってくるだろう。「毒になる親」の呪縛《じゅばく》から本来の自己を解き放ち、自分の人生を自分の手に取り戻してほしい。

毒になる親◉目次

第五章 残酷な言葉で傷つける親 112

第十一章　自分は何者か――本当の自分になる　222

第十二章　「怒り」と「悲しみ」　234

毒になる親　一生苦しむ子供

第一部

「毒になる親」とはどんな親か

第一章　「神様」のような親

ギリシャ神話に登場する神々はオリンポス山の頂上に住み、地上を見下ろしては人間のするあらゆることに裁定《さいてい》を下した。そして、人間が何か彼らの気に入らないことをすれば、ただちに罰を下した。彼らは優しい神々である必要はなく、公平であることも正義を守る必要もなかった。実際、彼らは気まぐれで、非合理そのものだった。彼らの怒りにふれようものなら、人間はたちまち山びこに変えられたり、巨石を押して坂の頂上まで登ることを永遠にくり返さねばならなかったのだ。神はその時の気分で何をするかわからないので、人間は常にビクビクして暮らさねばならなかった。心のなかに「恐れ」の種を植えられていたのである。

多くの「毒になる親」とその子供たちとの関係は、このギリシャ神話の神と人間との関係によく似ている。その時の親の気分でどんな〝罰〟を受けるか予測のつかない子供は、内心いつもビクビクしていなくてはならない。

小さな子供にとって、親は生存のためのすべてであり、そういう意味では、いわば神のようなものである。親がいなければ、自分を愛してくれる人間をほかに見つけることはできず、外部の世界から身を守る方法も知らず、住む場所も食べ物も手に入れることができず、絶え間ない恐怖とともに暮らさねばならなくなる。だから子供は、親なしにひとりで生きのびることはできないことを知っているのである。子供にとって親は必要なものをすべて与えてくれる全能の存在なのだ。

そういう状況のもとにある小さな子供は、たとえ親が間違っていても、それを知る方法がない。幼い子供は、ごく当然のこととして親は正しく完璧《かんぺき》なものだと推測するのである。育っていくにつれ、まわりを取り巻く世界はベビーベッドより大きくなっていき、その結果ますます遭遇《そうぐう》する未知の世界から身を守るために、子供はこの「いつも正しくて完全な親」のイメージを維持する必要性が増す。親は正しくて完璧と信じているかぎり、自分は守られていると感じることができ、安心できるからだ。

だが、現実世界の子供がギリシャ神話に登場する人間と違うところは、知力も心も成長していくということだ。二歳から三歳になると独立心が芽生えはじめ、子供は自己を主張するようになってくる。しだいに親のいうことにはなんでも逆らうようになり、これがいわゆる第一反抗期である。このころの子供がなんでも「いや！」というのは、自分のことには自分の意思を反映させたいと思うようになり、親のいいなりになるのは服従だと感じるからである。こうして子供は自分のアイデンティティーを打ち立てて自分の意思を確立しようともがく。

子供が親から離れていくプロセスは思春期にピークを迎え、子供は親の価値観、好み、権威、といったものと対立していく。比較的安定している家庭においては、親はそのような親子関係の変化が作り出す心配事にもたいていは耐えることができ、子供の離反や頭をもたげる独立心を、積極的に後押しはしないまでも黙認しようと努力することはできる。比較的理解のある親なら、自分の若かったころを思い出して「まあ、いまはそういう時期だから」といって見守ってやることができるのである。そういう親は、子供の反抗や離反は情緒の正常な発達のためのプロセスであることがわかっている。

ところが、心の不健康な親は、そのような理解を示すことができない。幼児期から思春期に至るまで、あるいは成人していればなおのこと、子供の離反はおろか自分と考えが違うことすら自分に対する個人的な攻撃と受けとめてしまう。そういう親は、子供の「非力さ」と親に対する「依存度」を大きくさせることによって自分の立場を守ろうとする。子供の健康的な精神の発達を助けるのではなく、それと反対に無意識のうちにそれをつぶそうとするのである。しかも困ったことに、しばしば本人は子供のためを思ってそうしているのだと考えていることが多い。このような親のネガティブな反応は子供の自負心を深く傷つけ、開きかけている独立心の芽を摘み取ってしまう。

親のほうではいくら正しいと思っていても、子供にとって親から受けるこのような攻撃は理解できないものである。親の示す敵愾心《てきがいしん》や態度の激しさ、反応の唐突さなどのため、子供は当惑するばかりだ。

ところで、一般社会全体を見渡してみれば、人間のほとんどすべての文化や宗教は、太古の昔から例外なく親に全能の権限を与えてしまっている。子供が正面切って親に〝刃向かう〟ことは、ほとんどタブーといっていいくらい認められていないのである。「親に口答えするんじゃありません」という言葉を人類はどれほどくり返してきたことだろうか。この件に関するかぎり、家庭内であろうが学校であろうが、寺や教会であろうが政府や会社であろうが、大人の言うことはいつも同じである。単に「生んであげた」というだけの理由で、親は子供を好きなようにコントロールする権限を与えられてきたようなものだ。

このように、「親は絶対であり、子供は常に親のいう通りにしなければならない」というタイプの親を持った子供は、常に親の意のままに翻弄《ほんろう》され、ちょうどギリシャ神話に出てくる人間のように、つぎはいったいいつ罰せられるのか見当がつかない。だが、それがいつかはわからなくても、遅かれ早かれ何かが起きることを子供は知っている。この不安は子供の心の奥深く刻まれ、成長するとともに根を張っていく。

子供時代に親からしっかりとした愛情を与えられず、ひどく扱われてきた人間は、みな例外なく――仕事に有能で、成功している人ですら――内面には無力感と不安感を抱えている。

〝いい子〟でいることの代償

親を怖がっている子供は自信が育たず、依存心が強くなり、「親は自分を保護し必要なものを与えてくれているのだ」と自分を信じ込ませる必要性が増す。残酷な言葉で心を傷つけられたり、体罰を加えられて痛い目にあわされた時、幼い子供は「きっと自分がいけなかったのだろう」と思う以外に自分を納得させる道がない。

このように、親がどれほど〝有毒〟でも、幼い子供はこの世にひとりしかいない父や母を自分にとってもっとも大切な存在であると考えるものだ。たとえ「自分をぶった父親は間違っているのではないだろうか」とある程度は感じても、やはり「ぶたれるようなことを自分がしたのだろう」と思ってしまう。幼い子供の心の奥には「親は正しい」という意識が無条件に宿っているので、いくら「自分は悪くない」と感じても、それだけで自分を完全に納得させることはできないのである。

幼い子供の抱く「親は正しい」「親は強い」「自分は無力だ」という概念はとても強いので、身の周りの世話をしてもらう必要のない年齢になってもなかなか消えることがない。そのため大人になっても、自分が小さく無力で傷つきやすかった子供のころに〝神〟のように強大だった親が、実は自分に害を与えていたのだという苦痛に満ちた真実にはなかなかはっきりと直面することができない。

そういう人間が、自分自身の人生を取り戻すために踏み出さなくてはならない最初の一歩は、子供だった時の真実とはっきり対面するということである。

事実を否定する力の強さ

心理学でいう「事実の否定」とは、自分にとって不都合なことや苦痛となる事実を、それほどのことでもないかのように、あるいはそんなことはそもそも存在していないかのように振る舞ったり、または自分をもそのように信じ込ませてしまうことをいう。これは、人間が自己を防衛するためのもっとも原始的で、しかしもっとも強力な方法である。本当は親に苦痛をしいられている（あるいは過去においてそうだった）子供が、自分の親は重要な存在で称賛に値する人間だと主張したり、自分でも本当にそう信じていたりするのもそのひとつだ。時には、親が立派な人間だと信じていたいあまり、小さなころにどんなことをされたのかを忘れてしまっていることすらある。

しかし、このように事実を否定することによって得られる心の平安は、あっても一時的なものでしかなく、そのために支払わなくてはならない代償は計り知れず大きい。心を圧力釜にたとえれば、「事実の否定」はそのふたのようなものだ。圧力釜のふたをいつまでもつけたままにしておけば、内部の圧力は高くなる一方で危険である。そのうちに圧力は限界を超え、釜は遅かれ早かれ爆発してふたが吹っ飛んでしまう時がくる。そうなったら心の健康は一大危機を迎えることになる。

けれども、事態がそこまで悪くなる前に、それまで自分が否定してきた事実と正直に取り組んでいれば、ちょうど釜の圧力弁を開いて蒸気を少しずつ逃がしてやるのと同じで、爆発という最悪の事態は防ぐことができる。

もちろんそうはいっても、問題はそんなに簡単ではない。取り組まなくてはならない「事実の否定」は自分のものだけではないからだ。親は子供よりさらに大きな「否定」をする。例えば、過去の真実がどうであったかを解き明かそうとしても、親は「そんなにひどくはなかったよ」とか「そんなふうじゃなかったんだ」と言うだろうし、さらには「そんなことはまったくの嘘だ」とまで言い切るかもしれない。とにかく過去のことであるし、記録などあるわけがない。子供の時の記憶だけが頼りの作業だ。反論されれば自信はぐらつき、真実がどうであったかを知るすべはないようにも思えてくることだろう。さらに親は、「そんな小さなころに本当のことがわかっているわけがない」などと反論して、いまでは大人になっている子供の自信を失わせようとするかもしれない。そうなれば、人生に自信を持てない悩みはさらに増してしまうだろう。

多くの「毒になる親」の子供にとって、「事実の否定」は実に簡単で無意識的な行動である。自分にとって好ましくない事実や不快な出来事、そしてそれにまつわる感情などを意識の外に追い出してしまい、そんな事実はなかったと自分に言い聞かせてしまえばいいのだ。しかし時にはもう少し複雑な形をとる場合もある。それが「理由づけ」といわれるものだ。

自分にとって好ましくない、あるいは苦痛となる出来事があったことは一応認めるが、そこに理由をつけてしまうのである。この種の「理由づけ」は、そのような出来事を正当化する時にしばしば無意識的に行われる。

その典型的な例をいくつかあげてみよう。

●お父さんが私に大声を上げるのは、お母さんがいつもうるさく文句ばかり言っているからだ。

●母が酒ばかり飲んでいるのは寂しいからなんだ。僕がもっと家にいてあげればよかったんだ。

●父はよく僕をぶったけど、それは僕が間違った方向へいかないようにしつけるためだったんだ。

●母がちっとも私をかまってくれなかったのは、自分がとても不幸だったからなのよ。

このような「理由づけ」には、どれにも共通しているひとつのことがある。それは、本当は納得できないことを、無理やり自分に納得させるために行うということである。だが、それで表面的には納得したように見えても、潜在意識のなかでは本当はどうなのかを知っている。

ある時私をたずねてきた四十代半ばの女性は、三人目の夫に離婚されそうになっていた。すでに成人している娘がいて、私のところにセラピーを受けにきたのはその娘に強く説得されてのことだった。すぐ人につっかかって口論する癖《くせ》があり、そうなると自制がきかなくなる性格をなんとかできなければ親子の縁を切ると娘にいわれたというのだ。

はじめて会った時、そのこわばった体つきと顔つきからすべては見て取れた。彼女は心の奥深くに強い怒りをたたえた、いつ噴火するかわからない活火山だった。話を進めていくうちに私は事情が飲み込めた。

離婚した相手も含み、これまでにつき合った男たちはみな去っていった。いま離婚しようとしている夫もまったく同じパターンだ。いつも男運が悪く、合わない相手ばかり選んでしまう。つき合いはじめたころはみな最高なのに、それがずっと続いたためしがない。父みたいに素晴らしい人はいないものかと思う。

小さなころから母はいつも具合が悪く、いつも父が外に連れ出して遊んでくれた。だがその父は、ある日突然、家を出ていってしまった。きっと、小うるさいことばかりいう母に愛想をつかしたのだろう。その後は手紙も電話も、何ひとつこなかった。父が戻ってくるのをずっと待ち続けていたが、ついに帰ってはこなかった。父には同情している。彼はとても活動的な人だったのだ。

彼女は子供のころからこの年になるまで、心のなかで理想化した父親が帰ってくることをずっと待ち続けていたようなものである。彼女は父親が本当はいかに無情で無責任であったかということには直面することができず、傷つきたくないために理由をつけて、あたかも父親が素晴らしい人物であったかのように理想化していたのだ。だが、彼女が苦しみに満ちた人生を生きることになったのは、その父親に大きな原因があったのである。

このような「理由づけ」を行うことによって、彼女は幼いころに自分を捨てた父親に対する怒りを否定してきた。だが残念ながら、その怒りは他の男たちとの関係において噴《ふ》き出すこととなったのだ。だれとつき合っても、はじめのころはうまくいくのだが、しばらくしてお互いをよく知るようになってくると、内心の恐れや不安が「口論」という形であらわれた。

だが彼女は、どの男もみな同じ理由で去っていったということがわからなかった。その理由とは、彼女は親しくなればなるほどすぐ言い争いをはじめるようになるということだったのだ。

「怒り」は向けるべき相手に向けなくてはならない

人間の感情、特に「怒り」のようなネガティブな感情が、どのようにして連鎖的に伝播《でんぱ》していくかを単純化して描いてみよう。ある男が職場で上役からどなられる。身の安全のためには当然どなり返すことはできない。彼は持っていき場のない腹立たしさを抱えたまま帰宅し、妻に当たり散らす。するとその妻は子供にわめきたてる。子供は犬を蹴飛ばす。犬は猫にかみつく。

このように図式化すると、あまりにも単純化していると思われるかもしれないが、実はこの図式は真理を驚くほど正確にあらわしている。それは「とかく人間は、ネガティブな感情を本来向けなければならない対象からそらせ、より容易なターゲットに向けてしまいやすい」ということなのだ。

この女性の場合も同じことである。彼女は自分から去っていった男たちを憎んでおり、自分はだまされて彼らを好きになり、利用されたと思っている。だが本当は、彼女が理想化して心に描いている父親こそ、彼女を幼い時に捨てたのである。もし彼女が若いうちにこの事実を認めてさえいれば、父親を理想化して考えるようなことはなかったに違いない。彼女は父親に対して向けるべき不信感と怒りを他の男たちに向けていたのだ。

彼女は自分でも気がつかないうちに、いつもきまって彼女を落胆させたり怒らせるようなことをする相手ばかりくり返し選び続けていた。内面の怒りを世の中の男たちに向けて爆発させているかぎり、父親に対する怒りに気づかないでいられたからである。

「死んだ人間の悪口を言ってはいけない」は常に正しいか

〝完璧な親〟の呪縛は、その親が死んでも消えないばかりか、むしろいっそう強くなる。自分がそのような親に傷つけられていたことを認めるのはとてもつらいことだが、親が亡くなった後では、それを指摘するのはさらに難しくなるのが普通だ。「死者にムチ打つような」という表現があるように、死んだ人間を批判するのは、「してはならないこと」という強い意識が一般にあるからである。その結果、どんなにひどい親であろうとも、ひとたび死ねば、存命中に行ったひどいことについて批判はおろか触れてもいけないような気分にされてしまう。まるで、死にさえすればすべてを忘れてもらえる特権を与えられているかのようだ。そのため、害毒を与えた親は墓のなかで安眠し、一方で残された子供からはネガティブな気持ちが消えることがない。

「死んだ人の悪口を言ってはいけない」というのは使い古された言葉だが、そのために、「死んだ親が原因となって引き起こされている問題について、子供が現実的な解決をする努力が阻《はば》まれてしまうというのもまた事実なのである。真実をいうならば、生きていようが死んでいようが、過去に起きた出来事の事実は変わらないのだ。

「親は絶対である」「いつも自分は正しい」というタイプの親は、好んで勝手なルールを作り、勝手な決めつけを行い、子供に苦痛をもたらす。生存していようとすでに死亡していようと、そういう親を神様のように祭り上げているかぎり、子供の生きている人生は親のものであって自分のものではない。そういう子供は、親によってもたらされた苦痛をそうとは知らずに自分につきまとう人生の一部として受け入れ、時にはそれが自分にとってためになることだとすら理由づけしていることもある。そんなことはもうやめなくてはならない。

神様のような顔をしている「毒になる親」を天上から地上に引きずりおろし、彼らを自分と同じただの人間として現実的に見る勇気を持つことができた時、子供はひとりの人間として、はじめて親と対等な関係を持つための力を持つことができるのである。

第二章　義務を果たさない親

子供にも、だれも奪ってはならない基本的な人権がある。それは、食事を与えられ、服を与えられ、住む場所を与えられ、危険から守られるということだ。だが、単に体の生存に必要なものさえ与えられればそれでいいということではない。心の面でも健康に育てられることは基本的な権利である。そうでなければ、生まれてきたことに価値を見いだせる人間には成長できないからだ。

子供はまた、していいことといけないことの違いを親から適切に教えられ、失敗を許され、しつけられることが必要だ。だがそこで大切なのは、〝しつける〟ことと肉体的あるいは精神的に〝傷つける〟ことは、まったく違うということである。

さらにつけ加えるなら、子供は子供らしく生きる権利がある。小さいうちは無邪気に遊び回り、のびのびとして自然なのがよく、何事にも子供には責任はない。しっかりとした愛情のある親なら、子供が育つにつれ少しずつ責任を与え、家事を手伝うことも教え、心の成長をはぐくみ、子供からほのぼのとした楽しい子供時代を奪ってしまうようなことはない。

子供はどのようにして周囲に適応していくか

子供というのは、言葉で言われることはもちろん、態度や雰囲気など、言葉にはなっていないものでも、親が発するあらゆるメッセージを選択することなくすべて吸収し受け入れてしまう。親の言うことは実によく聞いているし、することは実によく見ており、なんでもすぐに真似をする。小さいうちは家の外の世界をほとんど知らないのだから、子供にとって家族から学ぶことは宇宙の真理であるといっても言いすぎではなく、家のなかで学んだことは心の奥深くに根づいていく。その時、親は子供が自らのアイデンティティーを確立するためのモデルとして、重要な役割を演じることになるのである。

一九六〇年代末以降、親子関係の形は劇的に変化したが、基本的な義務という点に関するかぎり、親の役割はいつの時代でも不変である。それをまとめればつぎのようになるであろう。

1. 親は子供の肉体的なニーズ（衣食住をはじめ、体の健康に必要としていること）に応えなくてはならない。

2. 親は子供を、肉体的な危険や害から守らなくてはならない。

3. 親は子供の精神的なニーズ（愛情や安心感、常に注目していてやることなど、心の面で必要としていること）に応えなくてはならない。

4. 親は子供を、心の面でも危険や害から守らなくてはならない。

5. 親は子供に道徳観念と倫理観を教えなくてはならない。

まだほかにもあげればいろいろあるだろうが、親のもっとも基本的な責任は何かと問われれば、この五つである。ところがこの章で取り上げる「義務を果たさない親」のなかには、この1. すら満足にできていない者がいるのが実状なのである。これらの親は、自分自身が情緒不安定だったり、心の健康が損なわれているため、子供が必要としていることに応えられないばかりか、その多くは自分が必要としていることを子供に満たしてもらおうとしているありさまなのだ。

親が自分の責任を子供に押しつけている家庭では、家族のメンバー間の役割の境界線がぼやけ、ゆがめられ、あるいは逆転してしまっている。子供は自分で自分の親の役を演じなくてはならず、時には親の親にまでならざるを得ない。そうなると、子供には模範として見習うことができる人間も、何かを教えてくれる人間も、助けを求める相手も、だれもいない。子供の情緒が発達する決定的に大切な時期に親がモデルになりえないと、その子供のアイデンティティーは常に安心することのできない混乱の海をさまよってしまう。

ここで、三十四歳になるあるスポーツ用品店オーナーの例をあげてみよう。

ワーカホリック（仕事中毒）のために結婚が破綻した。いつも仕事でほとんど家にはおらず、帰ってきても家で仕事をしている状態で、妻はあきれ果てて出ていったのだ。いまはガールフレンドがいるが、また同じような調子でだめになりそうだ。どうしてもゆったりした気分になって生活をエンジョイすることができない。感情をうまく表現することがとても苦手で、特に相手を思いやる気持ちや、優しさ、愛情表現といったものがまるでダメだ。ガールフレンドと一緒にいても、つい仕事の話ばかりしてしまう。「楽しい」とか「楽しむ」という言葉とはまるで縁がなく、きっと私は仕事以外には能がない人間なのに違いない。

この青年と話をしていて、私は彼が「自分は面白くない人間」という自己像を持っていることに気がついた。そこで私は、子供時代のことについてたずねてみた。

三人兄弟の長男で、八歳の時に母親の神経症が悪化し、それ以来、母はほとんど口をきかず、家事もせずにいつも遅くまで寝ているようになった。いまでもよく覚えている母の姿は、寝間着《ねまき》のまま片手にコーヒー、片手にタバコを持ち、窓のカーテンを閉め切ったまま椅子に座ってテレビを見ているというものだ。毎朝食事を作ってふたりの弟に食べさせ、弁当を作ってスクールバスに乗せることが私の日課となった。学校から帰っても母はベッドルームにこもったきりで、二日に一度は弟たちが外で遊んでいるあいだに夕食の準備や家事をした。好きでそんなことをしていたわけではない。ほかにする人間がだれもいなかったのだ。
父は仕事で出張が多く、留守がちだった。そのうえ父は母のことをすでにあきらめていた。だいたいいつも父は母と別の部屋で寝ていた。父は何度か母を医者に診せたが、症状は好転せず、もうお手上げだったのだ。

私は彼に、子供時代にはさぞ寂しい思いをしたでしょう、とたずねた。すると彼は、「自分を哀れんでいる暇などなかったですよ」ときっぱり否定した。

楽しい子供時代を奪ってしまうもの

彼のような子供は、本来なら親がしなくてはならないはずの仕事が両肩に重くのしかかり、そのために楽しい子供時代を経験したことがない。子供の時からすでに小さな大人になってしまったようなもので、ほかの子供たちのようにふざけたり、屈託なく遊んだ経験がほとんどないのである。子供としての基本的なニーズが実質的に満たされなかったことを、「そのようなものは自分には必要ない」と信じ込むことで、彼は感情を自由に表現できない苦しみや寂しさと対抗してきた。さらに悲しいことには、彼は弟だけでなく母親の世話までしていたのだ。これでは母親の親になったようなものだ。

父は出張がない時には家にいたが、毎朝七時には出勤し、帰宅は夜遅かった。朝、家を出る時には、必ず「宿題を忘れるなよ。それからお母さんの面倒を見ることもな。ちゃんと食事をしているかどうか見ているんだぞ。気分を落ち込ませないように気を配るんだ。弟たちは静かにさせておけよ」というのが常だった。

小さな子供にとって、家事をして弟たちの世話をするだけでも大変なのに、そのうえ彼はうつ病の母親の相手までしなければならなかったのだ。このことが、その後大人になってから彼が何をしても満足いくまでやり遂げることができない人間になる原因となったのである。これは、子供時代に親子の役割が逆転していた人間には非常によく見られる現象である。小さな子供は、大人の役を押しつけられてもうまくやりおおせるわけがない。なぜなら、子供はあくまでも子供であって、大人ではないからだ。だが子供はなぜ自分がうまくやれないのか理解できない。そして、フラストレーションがたまり、「不完全にしかできない自分」という自己イメージが生まれる。

彼のケースでは、ワーカホリックとなって必要以上に毎日何時間も働くことによって、子供時代から現在に至るまでの寂しさや空しさと直面しないでいられた反面、長いあいだに身についた「自分はいくらやっても十分ではない」という意識をさらに強化することとなった。彼が無意識のうちに抱くようになったのは、「長い時間頑張れば仕事を完全にやりおおすことができ、自分は能力のある人間だと証明できるのではないか」という幻想だったのだ。彼はいまでもまだ親を喜ばせようとしていたともいえるのである。

彼ははじめ、大人になったいまでも、親に「有毒な力」を行使されていることが理解できなかった。だがカウンセリングをはじめて数週間後のこと、自分の苦悩と子供時代の体験とのつながりが突然見えてきた。

六年前からロサンゼルスでひとり暮らしをはじめると、両親は毎週二回も電話してきた。電話のパターンは、まず父がこう切り出す。「お母さんはうつ状態がひどくてね、困ってるんだよ。ちょっとだけでも休みをとって、家に帰ってくるわけにはいかないかね。きみの顔を見たらお母さんがどれほど喜ぶか、わかってるだろう」。そしてつぎに母親にかわり、「お前が人生のすべてだ」とか、「もう私はどれほど生きられるかわからない」などと述べたてるのだ。何回かは、すぐ飛行機に飛び乗って両親に会いにいった。罪悪感に責められたくなかったからだ。だが、そこまでやっても、親はけっして満足することはなかった。私がどれだけやっても不満なのだ。そのうちに、「もううんざりだ」という気持ちになってきた。それからは電話が鳴るたびに、親だったら出たくな

いと思うようになった。

「罪悪感」と「過剰な義務感」は、子供時代に自分の意思に反して親子の精神的な役割が逆転させられた人間に典型的なものである。そういう人間は大人になった後も、あらゆることの責任を引き受けて頑張ってしまう傾向がなかなか抜けないことが多い。だがいくら頑張ったところで、すべてを完璧にやり遂げられるわけではない。そのために自分に対する「不十分感」は消えず、心が晴れないので、ますます頑張るという悪循環に陥るのである。これはエネルギーを非常に消耗させ、いくら頑張っても何かをやり遂げた満足感は永久に得られない。

この男性は、小さな子供のころから親の期待と要求に追い立てられていたため、「人間としての自分の価値は、家族に対してどれほどのことをしたかによって判断される」という意識がしみついてしまっていた。そして成長するにつれ、親の期待と要求は内面化し、自分の価値をある程度見いだせる分野すなわち仕事において顕著にあらわれ、彼を追い立て続けたのだ（訳注：内面化については第五章百三十一ページを参照のこと）。

彼の育った家庭環境においては、人に愛情を与えたり人からの愛情を受け入れることについて、教えてくれる人間もいなければ学ぶ時間もなかった。彼は喜怒哀楽の感情をはぐくまれることなく育ったので、それらをうまく表現することを覚えなかったのだ。そして不幸なことに、大人になってからではもう遅く、したいと思ってもできなくなっていた。

「共依存」の親子

つぎの例は、〝ダメ人間〟の親と〝共依存〟の関係にあった女性のケースである。共依存とは、お互いが精神的にはなはだしく不健康に依存しあっている関係をいう。

この女性は離婚歴のある四十二歳の会計士で、重度のうつ病に苦しみ、カウンセリングを受けに来た。非常に痩《や》せており、一見して不眠症に悩んでいる様子がわかった。だがオープンな性格のようで、自分の抱える問題について話すことに抵抗はないようだった。彼女は十三歳の時に、ある新聞の有名な人生相談欄に投稿したことがあったという。そのころから自分の家の異常性に気がついていたのだろう。

人生にまったく希望が感じられない。いつもどん底のような気分で、それが日に日にひどくなっていく。いつも心の奥にとてつもなく大きな空しさがあって、人と本当に心が結ばれていると感じたことがない。これまでに二回結婚し、そのほかにも男性と暮らしたことは何回かあるが、いつも怠け者やろくでもない相手ばかり選んでしまう。そのたびに相手の世話を焼き、なんとかして立ち直らせようとして金を貸してやったり、自分の家に住まわせてやったり、仕事を見つけてやったことすらあるが、うまくいったため

しがない。だがそれなのに、懲《こ》りずにまた同じことをくり返してしまう。はじめの夫は浮気ばかりしていた。二人目の夫はアル中だった。ある男には子供の目の前でぶたれたこともあったし、なかには車を盗んで逃げてしまった男もいた。

彼女は自分では気づいていなかったのだが、昔から知られている典型的な「共依存的性格」の持ち主だった。もともとこの「共依存」という言葉は、アルコール中毒や薬物中毒の人間と腐《くさ》れ縁《えん》の関係にあって、そういう相手を〝救おう〟と頑張っているつもりで実は自分の人生が破滅している人間のことをあらわす言葉だった。だが最近ではそういうケースにかぎらず、衝動的、虐待的、極度に依存心が強い、などのあらゆるタイプの破滅型の人間と同様な関係になる人間のことまで指すようになっている。

彼女もその例にもれず、いつも問題をたくさん抱えた欠陥のある男にばかり惹かれ、そのたびになんとか助けようとしてきた。だが男たちはそんなことで変わりはしなかった。みな依存心が強く自己中心的で、人を愛することなどできない連中ばかりだったのだ。彼女は空しくなり、利用されたと感じるばかりだった。

実は彼女は、私と会う前から「共依存」という言葉を知っていた。二人目の夫がアルコール中毒だったので、更生のために家族が参加するプログラムに参加した時に聞いたことがあったのだという。だがまさか自分がそれだとは夢にも思わず、単に男運が悪いのだろうと思っていた。彼女はいつも相手の男を責めたが、本当の問題は、自分がいつも似たような欠陥のある男とばかり一緒になってしまうところにあるとは気づいていなかった。彼女は相手のために努力していると信じていたが、実際には面倒を見ることで彼らの無責任な行動を誘発していたのだ。

彼女のこの行動パターンは、子供時代の父親との関係の衝動強迫的な反復（訳注：第四章九十五ページを参照のこと）でもあった。彼女の父は仕事はよくできる建築家だったが、非常に神経質で、些細《ささい》なことでも気分を害して自分をコントロールできなくなることがよくあった。父がそうなると母も連鎖反応で動転し、自分の部屋に引きこもってしまった。その母はいつも病気がちで医者にかかっており、家でも床に伏せていることが多かった。また、いつも鎮痛剤を飲んでいて、はっきりはわからないが薬物依存症だったのではないかという。部屋の掃除や食事の用意などはまかないの人がやってくれ、母は家事をしていなかった。そういうわけで、結局父をなだめるのはいつも彼女の役だった。

ここで、私が長年カウンセリングに使っている「共依存度のチェックリスト」を示してみよう。その時彼女に渡したのもこれと同じものだ。共依存的性格は女性にばかり多いとはかぎらない。問題のある妻や恋人と共依存の関係にある男性もたくさんいる。

1．たとえそれがどんなにつらくても、彼（彼女）の問題を解決して苦しみを取り除いてあ

げることが私の人生でもっとも重要なことだ。
2. 私が気分よくいられるかどうかは、彼(彼女)が私のすることを認めてくれるかどうかによる。
3. たとえそれが、彼(彼女)が自分でしたことの結果自分の身に起きたことであっても、私はそのことから彼(彼女)を守ってあげたい。そのためには、嘘をつくことも、もみ消しをすることもいとわない。人が彼(彼女)の悪口を言うようなことは許さない。
4. 私は彼(彼女)が、私の望むように行動するよう一生懸命努力する。
5. 私は自分がどう感じるかとか、何をしたいかということにはあまり注意を払っていない。大事なのは、彼(彼女)がどう感じ、どうしたいかということだ。
6. 私は彼(彼女)から拒否されるのを避けるためには、どんなことでもする。
7. 私は彼(彼女)を怒らせないようにするためには、どんなことでもする。
8. 私は劇的で嵐のような恋愛のほうが情熱を感じる。
9. 私は完全主義者なので、うまくいかないことがあると自分を責める。
10. 私はだいたいいつも腹を立てていることが多く、自分は人から理解されたり感謝されておらず利用されているように感じている。
11. 私はうまくいっていない時でもうまくいっているようなフリをしている。
12. なんとしてでも彼(彼女)から愛されるようにすることが、私の人生でもっとも重要なことだ。

彼女はこの項目のほとんどに「イエス」と答え、自分がいかに共依存的性格であるかを思い知ってがく然となった。彼女がそれまでのパターンから抜け出すには、そういう自分の性格と父親との関係をはっきりと自覚する必要があった。父親がそのように子供じみた行動をした時にはどんな気持ちがしたかとたずねると、彼女はこう述べた。

まずはじめは「父は死んでしまうのではないだろうか」と心配になったが、そのうちに「なんとみっともない」と思うようになった。だが自分のことが原因で父親がそうなった時には、自分のせいだという罪悪感をいつも感じた。一番いやだったのは、自分が父を幸せにしてあげられないことだった。驚いたのは、いまでは二人の子供の母であり、父が死んで四年もたつというのに、いまだに後ろめたさが消えないことだ。

彼女は子供のころ、望むと望まざるとにかかわらず父親をなぐさめて世話をする役をさせられていた。要するに、父も母も自分の責任を自分で果たさず、すべてを彼女の小さな肩に負わせていたのである。彼女は自分に対する自信を育てるために「強い父親」の姿が必要な大切な時期に、子供のような行動をする父をあやしていなければならなかったのだ。

大人になってからの彼女は、男性を選ぶ時には、父をうまくなぐさめることができなかった後ろめたい気持ちを和《やわ》らげたいという無意識の衝動にいつも支配されてきたのだ。そして似たような欠陥を持つ男たちばかり選ぶことによって、子供時代に体験したのと同じような心の傷をくり返し再現してきたのである。

子供は〝透明人間〟に

親が身体や心に問題を抱えており、自分のことばかり心配している状態にあると、子供はその親から「お前の気持ちなんか重要ではないんだ。私は自分のことで頭がいっぱいなんだから」という強いメッセージを受け取る。こういう親を持った子供は、心が健康な親なら与えてくれる愛情や注目を得ることができないので、まるで「透明人間」になったように感じるようになる。自分は存在しているのに、まるで存在していないかのように扱われるためである。

「自分が生まれてきてこの世に存在しているのは価値のあることだ」「自分は意味がある存在だ」という感覚を子供が持つためには、親から「そうだとも、その通りだよ」というメッセージを与えられ、それによってそのことを確認できなければならない。だが彼女の両親のように、自分のことで頭がいっぱいでは、子供が心の支えに何を必要としているのかに気づくこともできない。しかも彼女の母親は、子供が示す感情表現に対して何も反応せず、心をかよわせようともしなかった。そういう状態のもとで、彼女の受け取ったメッセージが何であったかは明白である。それは、「お前は私たちにとって重要な存在ではない」というものだったのである。こうして彼女は、しだいに自分が自分をどう思うかではなく、親が自分をどう思うかによって自分を規定するようになっていった。つまり、自分の行動が親の機嫌をよくしたら自分は「いい子」であり、親の機嫌が悪くなったら「悪い子」だ、ということになったのである。

そういう子供が大人になると、しっかりした自分のアイデンティティーを持つことが非常に困難になる。自分の考えや感情、自分が必要としていること、などを人に対してはっきりあらわすようにはぐくまれなかったため、自分はどういう人間なのか、愛情に満ちた人間関係とはどういうものか、ということが理解できないのである。

このような人間が大人になると、心の奥深くに「怒り」が潜《ひそ》むことになるが、本人はそれを自覚している場合としていない場合がある。彼女の場合、親に対する怒りを多少は自覚できていたので、セラピーはその「怒りの感情」と「幼いころに精神的に親に見捨てられたという気持ち」を材料に進めることができた。

いなくなってしまう親

さて、ここまでは一緒に住んでいるのに心のなかに住んでくれない親について述べてきたが、なかには文字どおりいなくなってしまう親もいる。親の姿が消えてしまうと、見捨てられた子供の心のなかには大きな空白ができる。子供は幼いころの記憶をたどり、思慕の情を募らせるが、心の奥では、いなくなってしまった親に対するはっきり自覚していない怒りも生まれている。それは「親は自分がいらなかったのだ」という意識である。だがその一方で、いつの日かまた親が戻ってきてくれて、再び愛情を獲得することができたら、というはかない気持ちも消えてはいない。そしてまた、「親がいなくなってしまったのは自分のせいなのではないか」という気持ちも無意識のなかに残っている。親の離婚で取り残された子供が十代以降になってドラッグなどの中毒になったり、その他の非行に走るなど自己破壊的な問題を起こす例はあまりにも多いが、内面の空しさを埋めようとそのようなことをしても、解答が見つかることはない。

この世に幸せな離婚などというものはない。問題が起きないようにといかに細心の注意を払っても、離婚が親子全員にトラウマをもたらすことは避けられない。そこで大切なことは、離婚は夫婦間だけの問題であって、子供には関係ないのだということを真に理解することである。離婚後も、たとえ離れて暮らしていても子供とは家族なのである。二人の間にどのような問題があろうとも、子供とは離婚した後もしっかりした心の結びつきを維持する責任は夫婦ともにある。離婚届は「親の義務を果たさない親」が子供を見捨てることの許可証ではない。

離婚後、子供が父母どちらと一緒に暮らすことになるにせよ、片方の親がいなくなってしまうと、子供の心に大きな傷を与えてしまう。ここで忘れてならないのは、家族に何かネガティブなことが起きると、子供はほぼ必ずといってもいいほど、それが自分のせいではないかと感じるということである。子供には、「離婚はすべて親の責任であり、子供のせいではない」ということをはっきりと教えてあげなくてはならない。

やむなく子供と暮らさないことになる親は、その後も子供とはひんぱんに会って、一緒に時間を過ごすようにしなくてはならない。そのまま姿が消えてしまうと、子供はますます透明人間になった感じが強まり、ひとりの人間として存在していることの自信を育てることができなくなる。そうなると、成長してもその問題は消えないまま、成人後もずっと引きずっていくことになってしまう。

必要なものを与えられないために受ける傷

親が子供に暴力を振るったり、執拗《しつよう》にひどい言葉で傷つけたのであれば、その親が「毒になる親」であることは容易に見分けがつく。だが「すべきことをしない親」「親の義務を果たさない親」の場合には、主観的な要素もあるうえ、それがどの程度のことなのかという問題もあって、はっきり見分けをつけることが難しい。

子供が親から受けるダメージが、親が何かひどいことを*した*ことによってではなく、何かをしなかったことによって与えられた場合、その子供が大人になってから自分の人生に起きる問題と親との関連性を見抜くことは非常に難しくなる。また、そういう親を持った子供は、もともと自分の抱える問題と親との関連性を否定する傾向が特に強いので、その作業をいっそう難しくする。

問題を複雑にしている要因のひとつに、この種の親の多くは自分が抱える問題のためにすでに救いようのない状態にあるため、他人がそれを見ると哀れを感じてしまうということがある。これは、その子供となればなおさらで、親の救いようのなさ、あるいは無責任さを見ると、子供はつい弁護したくなってしまうのである。それは、犯罪者をかばって被害者が謝っているようなものだ。

そういう子供が大人になると、よく「親は悪意があってそういうことをしたわけじゃないんです」「彼らなりにできるかぎりのことはしたんです」と言って親を弁護するが、そのような弁護は、親が責任を果たさなかったという事実をあやふやにしてしまう。その子供が健康な心の発達ができずに苦しんだのは、ほかならぬその親のせいだったのである。

もしあなたが「義務を果たさない親」の子供だったなら、あなたは「親が抱えている問題の責任は、彼ら自身にある」ということを知らないまま成長している可能性がある。もしそうなら、あなたは親の問題に引きずられ、親の都合に踊らされているのは自分の運命のように思え、おそらく自分がそのように選択しているのだとは思っていない。

だが、真実を言えば、あなたはそうではない道を自分で選択することはできるのである。まずはじめに、自分にはどうして楽しい子供時代がなかったのか、と考えてみることからはじめるとよい。そして負わなくてもいい責任を負わされたことによって、自分はどれほどのエネルギーを消耗してきたかという事実を受け入れるといい。

このことが理解できれば、あなたは生まれてはじめて、もう自分にはないと思っていたエネルギーがわき起こってくるのを感じるだろう。それは、これまでの人生の大部分において親のために費やしてきたエネルギーであり、本来なら自分をもっと愛し、自分に対してもっと責任が取れるようになるために使うことができるエネルギーなのである。

第三章　コントロールばかりする親

干渉し、いつもコントロールしていないと気がすまない親と、そういう親に育てられて大人になった子供が、いま正直な気持ちを言葉にして交わしたらどうなるだろうか。そのような会話は現実にはあまりあり得ないが、もしあったとすればつぎのようになるだろう。

〈いまは大人になっている娘〉

「どうしてあなたはいつもそんなことばかり言っていなくちゃいけないの？　どうして私のやることなすことすべてに干渉して、あなたの思い通りにさせようとするの？　どうして私の好きなようにさせてくれないの？　私があなたの望む仕事を選ばなかったからといって、あなたにとってどんな違いがあるというの？　私がだれと結婚しようと、あなたにとってどうだというの？　いったい、いつになったら私を解放してくれるの？　いったいどうして私が自分のことを自分で決めたら、それがあなたを苦しめることになるというの？」

〈コントロールしていないと気がすまない母親〉

「あなたはそうやって私から離れていこうとすることで、どれほど私を苦しめているのかわからないのよ。私はあなたが私を必要としてほしいの。私はあなたを失うことが耐えられないのよ。私にとってはあなたがすべてなのよ。あなたが何か間違いをおかすんじゃないかって、心配でたまらないの。もし何かよくないことが起きたら、私は母親として失格だってことになるじゃないの」

過剰なコントロールとは

コントロールとは、必ずしも常にいけないことではない。よちよち歩きの幼児が車道に出ていこうとするのを叱って引き止めている母親は、「コントロールしたがる親」ではなく「分別のある親」といえるだろう。その時の彼女の〝コントロール〟は現実に即したものであり、そうすることで彼女は子供に必要な保護を与えているのである。

だが、その後十年たって、子供がひとりで道を渡ることができるようになってもまだこの母親が手を引こうとしていたら、それは子供の健全な精神の成長を助けている行為だとはとてもいいがたい。親からコントロールされてばかりいる子供は、新しいことを経験して学んでいくように勇気づけられることがないため、自信が育ちにくく、しばしば自分では何もできないように感じ、また心の奥にはフラストレーションがたまっていく。だがそういう親は自分自身に強い不安や恐怖心があるため、子供に干渉してばかりいる自分をとめることができないのである。その結果、コントロールされている子供もまた不安感や恐怖心の強い人間になってしまうことが多く、精神的に成長することが困難になる。そういう子供の多くは、思春期を過ぎて成人に近づいてもあいかわらず世話を焼きコントロールしようとする親から脱却できず、一方、親のほうはあいかわらず子供の人権に対する侵略を続け、心を操ろうとし、子供の人生を支配し続ける。

コントロールしたがる親の多くは自分が必要とされなくなることを恐れているため、子供の心のなかに非力感を植え付け、それが永久に消えないようにと望む。表面的に見れば、それは子供を自分に依存したままにさせておこうとする行為だが、実は自分が子供に依存していることの裏返しなのだ。子供が成長して独立し、家を出ていった後に、残された中高年の夫婦によく見られる精神不安定な状態を「巣立ち症候群」というが、コントロールしたがる親は子供がまだ幼いうちからこの症候群と似たような不健康な不安感を抱いている。彼らは子供の親であることにしか自分のアイデンティティーを見いだすことができないため、子供が独立心を見せると裏切られ見捨てられたように感じるのだ。

このタイプの親の持つ問題の深刻さがなかなか理解されにくいのは、彼らは子供を支配しようとしているのに「子供のことを気《き》づかっている」という〝隠れみの〟に包まれているためである。彼らの言う「あなたのためを思ってしているんです」と言う言葉の本当の意味は、「私があなたをコントロールするのは、あなたがいなくなってしまうことがあまりにも不安なので、あなたをいかせないでみじめな思いをさせるためなのよ」ということにほかならない。だが、もちろん彼らがそのようなことを認めることはまず絶対にない。

コントロールの二種類

コントロールには、露骨ではっきりわかる直接的なコントロールと、はっきりとはわかりにくいが、相手の心を自分が望むように操作してコントロールしようとするものとの二種類がある。

(1) 直接的で露骨なコントロール

直接的で露骨なコントロールは、あからさまに攻撃的ではっきりそれとわかる。たいてい「言った通りにしなさい。さもないと……」という形を取り、この「……」の部分は「何も買ってあげない」や「小遣いをやらない」だったり、「もう口をきいてあげない」や「もうお前はうちの子じゃない」だったり、あるいは言葉ではなく暴力だったりするかもしれないが、とにかくそこには「脅《おど》し」が含まれ、子供はしばしば屈辱感を感じさせられる。こういう親は、子供の気持ちやニーズより、自分のそれを真っ先に優先させるわけである。子供は最終通告を突きつけられ、意見や欲求は力ずくで圧殺される。そこにあるのははっきりとした強者と弱者である。

(a) 自分の都合を押しつけるタイプ

このタイプの「毒になる親」に人生を踏みにじられているケースは枚挙《まいきょ》にいとまがない。まず三十六歳の広告代理店幹部の例をあげてみよう。

結婚して六年になるが、両親と妻の間にはさまれて結婚生活が危機に瀕《ひん》している。東部に生まれ育ち、大学を出た後に西海岸にやってきて就職した。両親ははじめ、息子はしばらくしたらまた東部に帰ってくるだろうと思っていた。だが彼はそこで知り合った女性と結婚して住みついてしまった。すると両親は、家に帰ってくるようにとあらゆることでプレッシャーをかけはじめた。それからさまざまな問題が噴き出しはじめた。

それから一年後のこと、両親の結婚記念日に妻と一緒に帰郷することになっていたが、妻が流感にかかってしまったので行かれなくなったと電話すると、母が「もしお前が来なければ死んでしまう」と言う。やむなく、とんぼ返りのつもりでひとりでいくと、両親は口をそろえて一週間泊まっていけと言い出した。その圧力を振り切って翌日帰ってくると、すぐ父が電話してきて、「お母さんは病気になってしまった。お前はお母さんを殺すつもりか」と責めた。

両親はその後も妻を無視し続け、二人をたずねて来たことも一度もなかった。だが両親に対しては強い態度を取ることができず、妻に非難されても「わかってくれ」と言う以外になかった。両親はその後もずっと妻に対してひどい態度を取り、ふたりを傷つけ続けた。

この例でもわかるように、干渉しコントロールしたがる親というのは非常に自己中心的な性格をしている。子供が自分のしたいことができて幸福感を感じているというのは本来喜ぶべきことなのに（なぜなら、それは子供を自分のやりたいことがやれる人間に育てられたということだからだ）、そのように考えることができない。その反対に、子供がしたいことをしていると自分が置き去りにされたような気分になり、子供が離れていくことに脅威《きょうい》を感じるため、そういう子供を自分勝手だといって責める。このような親にとっては、子供がやりたいと思うことでも自分が子供に望むことと一致しなければ意味がないのである。その結果、自分の望むようにならないことはすべて悪いほうに解釈する。この青年がやりたい仕事をするためにカリフォルニアに引っ越したのも自分から逃げていったということにされてしまい、そこで結婚したのは自分に対する嫌がらせと映る。

こうして彼の親は、あらゆることについて、いつも「それと私（親）とどちらが大事なの」とせまっていたわけである。妻のことがからめば「嫁とこの私と、どちらが大事なの」となる。

そのような親を持った子供が大人になり、自分の人生を少しでも自分のものとして生きようとすれば、親によって作り出された強力な「無実の罪悪感」「フラストレーション」「怒り」などの高い代償を支払わされる。彼の場合、もともと私のところに相談にきた理由は結婚生活のトラブルについてだった。だがまもなく、問題は親元から遠く離れた街に引っ越した時からはじまったこと、そして問題の根源はふたりにではなく親にあったことがわかったのである。

この例でもわかるように、コントロールしたがる親の子供は、成長してから結婚生活がうまくいかなくなることが多い。もっとも多いのが、結婚した相手と親とのあいだにはさまれてしまうというものだ。親は子供の結婚相手を、子供をめぐる競争相手と感じるわけである。また、そうでなくても、彼らにとって子供の結婚はきわめて大きな脅威となる。それは自分たちのコントロールの手が及ばなくなることを恐れるためである。その結果は、結婚後の子供の生活ぶりに小言ばかり言う、結婚相手のことを認めようとしない、無視する、あるいは悪口を言う。または逆にやたらに相手の肩を持ち、自分の子供をけなす、などが典型的な反応である。

また、コントロールしたがる親に育てられた子供は、小さな時から抑えつけられてきたフラストレーションと怒りが心の奥にたまっており、そのためにほかの人間をコントロールしたがるようになることがよくある。結婚生活においてもそれは例外ではない。

(b) 金でコントロールしようとするタイプ

いつの世でも、金は常に力関係を作り出す主要な手段となる。コントロールしたがる親にとって、子供を自分に依存させたままにしておくために金の力を用いるのは当然のことだ。その極端な例を紹介しよう。

その女性は四十一歳で、人生が壁に突き当たったように感じていた。十代の子供がふたりいるが、夫とは離婚している。仕事は面白くない。肥満しているので体重を減らしたい。生き甲斐《がい》の感じられるような仕事を見つけて自分の進む方向を見きわめたい。でも、もし自分にぴったりな男性とめぐり会うことができれば、心のもやもやも晴れるに違いないと思っている。

彼女はたいそう貧弱な自己像を持ち、世話を焼いてくれる男性がいなければ自分はやっていけないと信じていた。話をしているうちに、彼女の問題は父親が原因だということがわかってきた。

大学を出てすぐ結婚した夫はロマンチストだったが生活力はあまりなく、父ははじめ結婚は絶対に認めないと言っていたが、内心では喜んでいたのかもしれないと彼女は言う。なぜなら、二人は父の援助なしには生活できない状態だったからだ。会社を経営す

る資産家の父は、しばらくのあいだは生活費の面倒を見てくれると約束してくれ、その後も最悪の場合には自分の会社で彼を雇ってあげようと言ってくれた。この提案は一見親切そうに聞こえるが、それで二人は完全に父親に支配されることになった。彼女は子供の時から「お父さんの大事な娘」だったが、結婚した後もその状態が継続されることになったわけだ。あいかわらず父親の面倒になりながらの結婚生活は、〝ままごと〟のように感じられた。

父は彼女がまだ小さかったころにはよく可愛がってくれたが、彼女が自分の意思を持ちはじめたころからうまく扱えなくなった。そして、彼女が自分の思う通りにならないと、大声でわめいたりひどい言葉でののしったりするようになった。十代も半ばになると、言うことを聞くか聞かないかで小遣いをくれたりくれなかったりするようになった。ある時は非常に気前がいいかと思うと、泣いて頼まなければ教科書を買う金も映画を観《み》る金もくれなかった。しだいに彼女は父の機嫌をとることに時間やエネルギーを費やさなくてはならないことが多くなった。父はそれを楽しむかのように意地悪をした。言う通りにすれば〝ほうび〟として金は与えられ、いう通りにしなければ〝罰〟として与えられなかった。そこにはルールも一貫性もなく、その時の気分で気前よくなったりケチになったりした。

結局、彼女の夫は父の会社で働くことになった。だがその結果、父は彼女の家庭のあらゆることに口を出し、ふたりは何から何までコントロールされることになってしまった。それに耐えられなくなって夫が会社を辞《や》めると、今度は夫が仕事が長続きしないダメな人間であることの新たな証拠だと非難した。夫が別の仕事を見つけると、それなら援助を打ち切ると脅した。だがその年のクリスマスになると父は突然態度を変え、彼女に新車を買ってくれた。それは夫に対する当てつけだった。

彼女の父親は、このような残酷なやり方で経済力を見せつけることによって、自分が彼女にとってかけがえのない存在であることを思い知らせ、同時に彼女の夫をさらに見劣りさせ、彼女を長いあいだコントロールし続けたのである。

(c) 子供の能力を永久に認めないタイプ

このタイプの「毒になる親」は、「何もできやしないくせに」となじるなど、子供をこき下ろして責める。事実はそうでなくても、そんなことはまるで認めない。つまりは、子供の言い分はすべて圧殺するのである。

ある小さな建設機器販売会社を経営する四十三歳の男性は、私をたずねてきた時ほとんどパニック状態だった。彼は最近、怒りが爆発すると自分がコントロールできなくなり、わめき散らしたり、ドアをたたきつけて閉めたり、壁をなぐったりするようになり、自分がさらに暴力的な人間になりそうで恐ろしいと言うのだ。

話を聞いてみると、彼もまた父親からことあるごとに軽んじられてきた人間だった。十八年前に父の会社で働き出し、二年前に父が引退して跡を継いだのだが、その後も父はことあるごとに彼の仕事ぶりに口を出した。彼は父親の承認を得ようと努力してきたのだが、父は息子の能力を認めたことがなかった。

彼の父親は、家業の商売を通じて彼に能力が足りないように感じさせ、それによって自分はすぐれているという満足感を保ってきたのである。彼はその後、少し時間はかかったが、父がいつの日か変わってくれたらという希望を捨てなければならないことを理解することができた。現在は、そのような父に対する対処の仕方をどう変えていくか、つまり、自分がどう変わればいいのかという課題に取り組んでいる。

(2) はっきりとわかりにくい心のコントロール

直接的で露骨なコントロールと違って、一見ソフトなオブラートに包まれた間接的なコントロールははっきりとわかりにくく、しかし直接的なコントロールに比べて少しも劣ることなく有毒である。自分の望むことを直接はっきりと要求するのではなく、真正面から抵抗しにくいやり方で相手を自分の望む通りに動かそうとするのは、すなわち相手の心を操作しようとしているということなのである。

もっとも、自分の気持ちや望みを遠回しに表現するということ自体は、程度の差こそあれだれでも常にしていることであり、ノーマルな形で行われているかぎり「コントロール」といったようなことではない。現実社会ではなんでもはっきり言えばいいというわけではなく、遠回しにものを言うことは人間関係を滑《なめ》らかにするために時には必要なことである。

来客がいて夜遅くなったら、「帰ってくれ」とは言えないからあくびをしてみせたりする。「酒が飲みたい」と奥さんにいうのが気がひけるので「開いてるボトル、なかったっけ」などと言う。見知らぬ美人にいきなり電話番号を聞くわけにはいかないから、天気の話でもして話のきっかけをつかむ、……。こういうことはまったくいけないことではなく、人間同士がコミュニケーションをとるうえでは正常で必要なことだ。それは親子のあいだでも同じである。夫婦、友人、同僚、上司、部下、どのような人間関係においても同じことは行われている。そういう意味では、セールスマンなどは人の心を操作することで生計を立てているようなものだ。ソフトな言い方というのは、善意に根ざしているかぎり、人間関係を滑らかにする潤滑剤として有益なのである。

ところがこれを、相手をコントロールするための手段として、執拗に、過剰に使うようになると、非常に不健康で有毒なものになる。特に親子のあいだでは、小さな子供は親の本心がわからず混乱してしまう。自分が何かいけないことをしたのだろうと感じさせられ、だが何がいけないのかわからない。一方、子供がある程度以上の年齢の場合には、親の意向は明確に伝わり、真綿で首を絞《し》めるようなコントロールのやり方に、子供はいいようのないフラストレーションと不快感を感じ、心の奥には怒りがたまっていく。

(a)「干渉をやめぬ母」のタイプ

このタイプの有毒な行為のひとつが、「手助けしている」姿を装《よそお》ったいらぬ干渉だ。こういう親は、放っておくことができる時でも自分が必要とされる状況を自ら作り出し、すでに大人になっている子供の人生にすら侵入してくる。この干渉は「善意」という外見とひとかたまりになっているため始末が悪い。

つぎにあげるのは、三十二歳の女性テニスコーチの例である。彼女はアマチュアの時代からトーナメントで活躍し、プロのコーチとなってからも努力を重ねて現在の地位を築いてきた。だが華やかな仕事とは裏腹に、彼女は重いうつ症に苦しんでいた。原因は母親だった。

子供の時からあらゆることに干渉してきた母は、彼女が大人になってもそれをやめようとせず、特に父親が死んでからというもの、ますますひどくなった。頼みもしないのに食事を作って持ってくるなどは序の口で、留守のあいだに勝手に部屋に入ってきて掃除をしたり、クローゼットのなかの服を整理（という名目で点検）したり、ある時など部屋の模様替えまでしていったという。やめてくれと頼むと、見るからに傷ついたような

顔をして目に涙まで浮かべ、「母親が娘の世話をするのが何がいけないの」という返事が返ってくる。仕事で地方にいかなければならない時など、「ひとりで運転していくのは危ない」といってついてこようとする。断ると、まるで彼女が寂しい母親を置き去りにしてひとりで遊びにいこうとしているひどい娘であるかのような反応をする。

何回か面談を続けるうちに、彼女はそれまで自分でも知らない間にどれほど母によって自信が傷つけられ、弱められてきたかということに気がつきはじめた。だが、たまったフラストレーションと押し殺された怒りが表面にわき出てくると、同時に強い罪悪感を覚えるのだった。それは「自分のことを思ってくれている可哀相な母」というイメージが心の奥にしみついているためだった。だが心の奥では母親に対する怒りは高まる一方で、しかしそれを人にあからさまにしゃべるわけにはいかないため、ますます自分のなかに抑え込む以外になかったのだ。その結果が強いうつ病となってあらわれていたのである。

たまに思いきって文句を言うと、母は見るからに傷ついた表情を見せ、罪悪感に襲われるのが常だった。だがその一方で、気をつかって言葉をかけると「心配しなくてもいいのよ、私のことは。大丈夫だから」という言葉が返ってくる。

これは、大人になってもなお、心を操ってコントロールしようとする親に苦しめられている被害者の典型的な例である。そのような親を持った子供は、逆らえば「手助けしようとしている優しい親」または「可哀相な親」を傷つけることになるという無言の脅迫に耐えかね、爆発しそうな自分を抱えたままノイローゼ寸前になっている。

(b)「兄弟姉妹まで親と一緒になって責める家」のタイプ

罪悪感を使って子供を責めるのは、時として親だけではない。本当は親のほうに問題があるのに、ほかの兄弟姉妹もその親と一緒になって「お母（父）さんを傷つけて」「お前ひとりだけ違うことをするとは何事だ」という非難を浴びせる家庭は「毒になる家」と呼ぶしかない。これに親戚まで加わればもう地獄だ。このような場合、しばしば親は自分では直接発言せず、ほかの子供たちに（しかも直接指示することなく）言わせていることが多い。そういう家では、特に休日は家庭内の緊張度が高まる。かくして、幸せな家庭なら楽しみにするはずの休日が、そういう家ではやりきれないうんざりしたものとなるのである。

つぎの例は、雑貨店に勤める二十七歳の青年だ。

ある年のクリスマス休暇のこと、家で家族と休みを過ごすのではなく、友人達と一緒にスキーにいきたいと思った。家族の連中と一緒にいても楽しくないので、家から離れて

友人達と一緒に時間を過ごしたかったのだ。だがそのプランを親に話したとたん、あらゆることが地獄のようになってしまった。母も兄弟姉妹も、彼のおかげでクリスマスが台無《だいな》しになったと責めたてたのだ。彼は背骨がへし折れるほどの罪悪感を背負わされた。結局スキー場には無理していったものの、ホテルの部屋にひとりですわり、憂鬱《ゆううつ》な思いで家に電話しなければならなかった。だがいくら自分の気持ちを説明しても家族は理解しようとはせず、彼がみなに対してひどいことをしたといって責め続けた。

彼の家族は、いつも彼が自分のために何かいいこと（しかし家族が認めないこと）をしようとするたびに全員が束になって反対し、彼を責めた。彼はたちまち一家に対する共通の敵にされてしまい、家の平安を脅《おびや》かす存在にされてしまうわけだ。そのたびに彼はやむなく自分のやりたいことを断念し、家族の望みに従う以外になかった。自分のせいでみんなを傷つけているという罪悪感を負わされることに耐えられなかったからだ。

このような家族においては、その子供のアイデンティティーと安心感は「親や兄弟姉妹の意向」にからみつかれており、なかなか自分自身のものとすることができない。それは、家族の一人ひとりがお互いを一部分ずつ所有し合っていて、各人がはっきり分離できていないからなのである。おかげで彼のような子供は、そのような環境から脱出したいと思っても、みんなから放り出された状態のことを考えると怖くてなかなかできなくなる。

それと同じ心理状態は、大人になってからもあらゆる人間関係にあらわれる。他人による自己の〝からめ取られ〟に慣らされてしまうと、恋人、上司、友人、時には見知らぬ人に対してすら同様な反応をしてしまうのである。人にどう思われるかが気になって仕方がないため、常に自分以外のものからの承認と賛同を得ていなければ自己が保てない人間になってしまうためだ。

(c)「兄弟を比較する親」のタイプ

このタイプの親は、ターゲットとなる子供をひとりだけほかの兄弟姉妹と比較して叱り、親の要求に十分応えていないことを思い知らせようとする。よくもっとも独立心の強い子供がターゲットにされるが、これは子供たちが全員で団結して反抗しないようにするための分断作戦のようなものだ。親のいうことをいちばん聞かない子供が家庭内の統率をいちばん乱すというわけである。

こういう親の行動は、意識的であれ無意識的であれ、本来なら健康的で正常な兄弟間の競争心を醜い争いへと変えてしまい、兄弟間に嫌悪感や嫉妬《しっと》心を生じさせてしまう。そうなると、その子供たちは、将来、一般的な人間関係においても無意識のうちに同様のネガティブな感情を抱く傾向が身についてしまう。

子供に起きる反応

(1)　服従か反抗か

「毒になる親」のコントロールに対する子供の反応は二種類しかない。いやいやながらも従うか、反抗するかである。だが一見正反対に見えるこのふたつの反応も、親からの正常な心理的独立を阻《はば》まれているという点では同じことなのだ。反抗するのは親から心理的に独立しようとしていることのあらわれのように見えるかもしれないが、それはコントロールに対するただの反動に過ぎず、そう反応するよう仕向けられた結果に過ぎないわけである。そのような形で反抗するのは、確固たる自分があって心理的に独立しているのとは違う。

　この典型的な例として、ある五十五歳になる実業家のケースをつぎに示そう。彼はコンピューターソフト会社のオーナーで、経済的には人のうらやむような暮らしをしているのだが、いまだに独身で子供もなく、時どき非常に強い孤独感に襲われる不安症候群があって私のカウンセリングを受けにきた。人と愛情のかよった関係を持つことができず、このままでは最後はひとりで死ぬことになると思うと恐怖が走るのだと言う。

　彼が人と、特に女性と打ち解けてつき合うことができないのは、子供の時から過剰にかまいすぎる母親が原因だった。小さいころから母はずっと彼に密着し続け、結婚のことでもあれこれと心配してやっきになってきたというのだ。彼はそんな母親が重荷でたまらず、息子の幸せのためだけに生きているような母親に窒息させられそうになっていた。まるで背中に取り付いて引きはがすことができないような母親のことを、彼は「もしできることなら、母は私に代わって呼吸するでしょうよ」と言った。

彼のこの言葉は、コントロールしたがる「毒になる親」が自分と子供との間の境界線を消し去ってしまっているさまを実によく物語っている。彼の母は心理的に息子にあまりにもからみついているため、いうならば、どこまでが自分でどこから先が息子なのかわからなくなっているのである。こういう親は心理的に自分の人生が息子の人生に溶け込んでしまっているので、息子の人生は自分の人生であり、言葉を換えれば息子は自分の延長でしかない。

このような母の窒息しそうなコントロールから逃れるため、彼は若いころから母のいうことにはすべて反抗してきた。そして母の要求はすべてはねつけてきたが、結婚もそのひとつだったのである。つまり、母があれこれと口を出しすぎたために、彼は逆らってずっと結婚しなかったのだ。

こうして彼は、支配しようとする母の望みをすべて拒否してきたために、自分が望むことまで無視する結果になってしまったのである。そのような人生を生きることで、彼は〝自分の意思を持った男〟のつもりでいたのだが、実は自分の本当の意思を殺してきたのにほかならない。

私はこのような反抗を「自滅的な反抗」と呼んでいる。みずから自分をつぶしてしまう反抗と、いいなりになることとは、実は同じコインの両面なのである。それと違って、健康的で建設的な反抗というのは、自分が望んでいるのは何なのかを正しく見極め、自分の自由な意思による選択を実行することである。それは人間性をさらに成長させ、個性を伸ばすための行動である。「自滅的な反抗」は、コントロールしようとする親に対する単なる反動に過ぎず、その結果訪れる不本意な結末を正当化しようとするものでしかない。

(2) 墓に入っている親からまだコントロールされる

多くの人は、コントロールしたがる親もそれができるのは生きているあいだだけだと考えがちだが、心理的な〝首輪〟はそう簡単には外《はず》れるものではない。海をへだてていようが、墓に入っていようが、そういう親は目に見えない鎖の端を握っているのである。何年も前にすでに死亡している親の、生存中の要求やネガティブな言動にいまだにわずらわされている人たちを、私は何百人と見てきた。

つぎの例は、テレビのショー番組でバックグラウンドミュージックの作曲をしている三十九歳の女性だ。彼女の両親も彼女が子供のころからあらゆることに干渉し、コントロールしようとする人たちだった。両親はすでに亡くなっていたが、彼女はうつ病に悩まされ、半年ほど前には病院に収容されていた。

結婚式の時、彼女は生まれてはじめて勇気を出して自分の意思を通し、親には口出しさせずに自分たちのやりたい方法でやることにした。だが、その結果どうなったかというと、まず両親は結婚式にあらわれなかった。そればかりか、彼らは親戚中に彼女の悪口をふれてまわった。彼女は「可哀相な親の喜びを奪ったひどい娘」ということになってしまい、家族も親戚もみな口をきかなくなった。
それから数年後、母親は自分がガンであることを知った。ところが母は、自分が死んでも彼女にだけはそのことを知らせないようにと親戚中に伝えていた。彼女が母の死を知ったのは、死後五ヵ月たってからだった。父親に電話すると、「さぞいい気持ちだろう。お前がお母さんを殺したようなものだ」という言葉が返ってきた。
父はその後も非難の言葉を吐き続け、それから三ヵ月後に死んだ。彼女の頭のなかでは、いまでも彼女を非難する両親の声が鳴り響き、それが首を絞める。彼女が再発性のうつ病で入院したのは、そのためだった。

この女性もまた、墓に入っている親の「私が苦しんで死んだのはお前のせいだ」という声に何年も苦しめられてきた被害者のひとりである。彼女は自殺を考えたこともあったが、結局思いとどまった。死んだらあの世でまた親と一緒になってしまうと考えたら死にたくなくなったのだと言う。この世で人生をめちゃめちゃにされたうえ、あの世でもまたそうはなりたくないと思ったと言うのだ。

多くの「毒になる親」の子供たちと同じように、彼女も親から苦しみを与えられたという事実の一部は認めることができたが、それだけで罪悪感を完全に払拭《ふっしょく》することはできなかった。その後、多少時間はかかったが、彼女は親の残酷な言動の責任はすべて親自身にある、という事実をはっきり受け入れることができた。その時彼女の両親はすでに死んでいたが、彼女が親の亡霊からようやく解放され、本来の自分でいられるようになったのは、それからさらに一年たってからだった。

アイデンティティーの分離ができない

自分が自分でいることに対していい気持ちでいられる親は、子供をコントロールする必要がない。この章に登場したすべての「毒になる親」に共通している点は、彼らの行動の根源には自分自身の人生に対する根深い「不満」と、自分が見捨てられることへの強い「不安」があるということである。

そういう親にとって、子供が独立していくのを見るのは、体の一部を失うほどつらいことである。それゆえ、子供が大きくなってくると、彼らはますます子供の首につけたひもを強く引っぱらなければならなくなってくる。

親がこういう状態であると、子供は成人後も自分が何者であるのかというアイデンティティーがぼやけたままはっきりしない。それは、自分と親とは独立した異なる人間であることを実感しにくいからである。そのため、自分が望んでいると思っていることが、いったい本当に自分の望むことなのか、それとも親が望むことなのかよくわからない。無力感に襲われるのは、そのためである。

どのような親でも、子供がひとり歩きできるようになるまではなんらかのコントロールが必要なのは当然のことだ。だがノーマルな家庭では、子供が思春期をむかえた少し後くらいからコントロールの程度を減少させ、それから先は自分で歩かせるための移行期間となっていくのが普通だ。ところが「毒になる親」の家庭では、この時期に行われるべき健康な親子の精神的分離が行われず、何年も遅れるか、または永久に行われない場合もある。そういう場合には、大きくなった子供が自分の意思で自分の人生を取り戻そうと行動を起こす以外に道はない。

第四章　アルコール中毒の親

リビングルームの恐竜

アルコール中毒者のいる家庭では、「事実の否定」（第一章三十九ページを参照のこと）が家族全員の心の巨大な部分を占めている。家にアルコール中毒の人間がいるというのは、比喩《ひゆ》的にいうならば、リビングルームに恐竜が居座っているようなものである。外部の人間から見れば、そんな巨大なものがそこにいるのは歴然としており、とても無視できることではない。だが家族はその化け物に対してなすすべがなく、その無力感から、そんなものは自分たちの家にはいないことにしてしまう。それが彼らにとって、家族が共存できる唯一の方法だからである。そういう家庭においては、「嘘」「言い訳」「秘密」が空気のようにあたりまえのことになっており、それが一緒に暮らしている子供に計り知れない情緒の混乱を引き起こす。

親がアルコール中毒の家庭における、家族の情緒的および心理学的な状態は、親が薬物中毒（非合法のドラッグか医師の処方による合法的な薬物の依存症かにかかわらず）の家庭と基本的には同じである。この章では特にアルコール中毒の親の話に絞っているが、薬物中毒の場合も子供がこうむる苦しみは似たようなものであることをつけ加えておきたい。

父は仕事から帰ると、すぐボトルの入った戸棚に直行してまず一杯。夕食のあいだもグラスはずっと食卓に置かれたままで、ずっと飲み続けている。食事が終わると、いよいよ本格的に飲みはじめる。飲んでいるあいだはやめるように言うことなどもちろんできないばかりか、機嫌を損ねないように家族は静かにしていなければならない。酔うとそのまま自分で寝にいくこともあるが、しばしばその場に酔いつぶれるので、ベッドに引きずっていかなくてはならないこともよくある。いちばん嫌なのは、そのことについて家族のだれもはっきり語ろうとしないことだ。だいぶ大きくなるまで、そういうことはどこの家でもしていることなのかと思っていた……。

これは、ある男性が語った子供時代の記憶だ。彼はごく幼いうちから、父親の飲酒は一家にとって大きな秘密であることを感じ取っていた。母親から〝お父さんの問題〟について人にしゃべってはいけないと釘をさされるよりもずっと前から、すでにそうしていた。そして一家は、「自分たちには何も問題はない」という見せかけを、全員で外部の世界に対してつくろっていた。彼らは〝世間〟という脅威から身を守る必要性を共有することで結ばれていたのだ。こうして〝家の秘密〟は、この暗い一家を団結させる接着剤の役を果たしていた。

このような「家の秘密」には、つぎの三つの要素が必ず含まれている。

1. **アルコール中毒の親本人による「事実の否定」**
だれがみてもその人間はアルコール中毒だという圧倒的な証拠があるにもかかわらず、そして、その人間の行動は家族にとって苦しみであり恥であるという事実にもかかわらず、本人がその事実を否定する。

2. **本人以外の家族のメンバー（たいていは配偶者と子供）による「事実の否定」**
これには通常、「ママが飲むのはただリラックスするためなんだよ」「いま転んだのは何かにつまずいたからさ」「パパが失業したのは意地悪な上役がいたからだ」などの言い訳が用いられる。

3. **自分たちは〝ノーマルな家〟なのだという取りつくろい**
この取りつくろいは、家族のメンバー同士のあいだでも、外部の人間に対しても行われる。自分たちを〝ノーマルな家〟のように見せかけようとする家族の態度は、とりわけ子供の心を歪《ゆが》めてしまう。なぜなら、子供は生まれつき自然なので、家のことについては当然疑問がわくが、そういう自分の感覚を無理やり否定しなければならないからだ。自分が感じたり考えたりしていることと違うことを絶えず自分や他人にいっていなくてはならない状態では、自分に対する信頼感を育て、自信ある人間となることは不可能である。その子供の内面には無意識のうちに罪悪感が生まれ、自分が人から信用されるかどうかの自信が持てない。その感じは成長するとともに続き、その結果、自分のことを積極的に人に話したり、自分の意見を自由に述べたりすることを尻込《しりご》みしがちな人間になる。アルコール中毒の親を持つ子供の多くは、外見はともかく、内面は悲痛なほど内気である。

子供にとって、家族についての取りつくろいを続けるのには、非常に大きなエネルギーを必要とする。その子供は、常に内心では身構えており、うっかり家族のことをバラしたらどうしようと恐れている。あまり友人を家に連れてきたがらないことがよくあり、友達を作りたがらないこともある。そのため、彼らはしばしば非常に孤独だ。

だが、外の世界で孤独であることは、暗い家族の問題にさらに深く引きずり込まれる原因ともなる。そして、共通の秘密を抱えている唯一の人たち、つまり家族のメンバーとの歪んだ結びつきを強めることになるのである。こうして親との密着度が増し、親に無批判に忠実であることがその子供の習い性となっていく。そのことは、大人になってから破滅的な人生を生きる要因となり続ける。

自己を喪失する子供

アルコール中毒の親を持った子供は、親を救うことと〝ノーマルな家〟の見せかけを維持するための空しい努力にエネルギーを割《さ》かれるあまり、自分自身の基本的なニーズにほとんど注意を払うことができない。その結果、彼らは第二章に登場した「義務を果たさない親」の子供と同様、自分は存在しているのに親からは見えない子供、つまり透明人間になったように感じることがある。その結果、親に問題がある家庭ほど子供は心の支えを必要とするのに、その子供は親から心の支えが得られないという矛盾に陥《おちい》る。

先ほど例にあげた男性は、他のアル中の親を持った多くの子供と同様、周囲のすべての人がどんな気分でいるかということに対して自分に責任があるようにいつも感じていたが、それはまさに子供の時に両親に対して感じていたことだったのである。また、彼が子供の時から涙ぐましい努力をして親と対立するのを避けてきたのは、自分を含みだれかを傷つけた責任が自分にあるような事態にはなりたくなかったからだ。また彼は、子供の時から正直な感情をいつも抑えつけていなければならなかったので、しだいに自分の感情をのびのびと表現することができない人間になっていった。酔いつぶれた親を家人が寝かしつけるのを手伝う時、親の気分を損ねないように気をつかうことを覚えるようになったが、そうなるともうどちらが親なのかわからない。このように子供が親のように行動しなくてはならない親子関係のもとでは、子供は自分が何なのかよくわからず、ノーマルなアイデンティティーの意識が育たない。親がアルコール中毒の家庭では、このように破滅的な「役割の逆転」（訳注：第二章四十九ページ参照）がよく見受けられる。

本書の全編を通じて登場することでもわかるように、このような「親子の役割の逆転」は、アルコール中毒の親にかぎらずほとんどすべての「毒になる親」のいる家庭で起きている。アルコール中毒の親は、哀れをさそうような、そして、助けてもらわなくては生きていけないような、それでいて分別のない行動を通じて、積極的に、かつ無理やり、子供から子供の役を奪い取ってしまっているのである。こういう親は自分自身が手に負えない子供であるため、本当の子供は子供でいられる余地がない。

この男性の心の奥底には、親の抱える問題を解決してやることができない後ろめたさが子供の時からいまに至るまでずっと横たわっていた。そして、自分の世話をしてくれる伴侶《はんりょ》を見つけたいと願っていたにもかかわらず、結局結婚した相手はやはり極度に依存心の強い救いようのない女だった。その女性は妻としてふさわしくないかもしれないということは結婚前に感じていたのだが、子供の時から親との関係を通して培《つちか》われた「問題のある人を救いたがる」性格のほうが勝ってしまったのだ。

結婚してまもなく、彼は彼女が隠れて酒を飲んでいるのを発見した。だが、もし彼女がアル中であることを結婚前から知っていたとしても、おそらく彼は「きっと自分は彼女を変えられる」と思ってやはり結婚していただろう。アル中の親を持つ子供が、成人してからアル中の相手と結婚するのはめずらしいことではない。

多くの人は、親がアル中であるような救いようのない境遇に育った人間がまた似たようなトラウマのなかを生きるようになる事実に驚くかもしれない。だが、たとえ苦痛に満ちた感触であろうが、滅んでいく感触であろうが、慣れ親しんだ感触のパターンを再びくり返したいという衝動は無意識的であり、実はだれにでもあるのである。それが「慣れ親しんだ世界」のもつ魔力である。

さらに、とかく「今度こそうまくやれるに違いない」と思って過去のトラブルをまたくり返してしまうということもある。無意識のうちに苦しみに満ちた昔の体験をもう一度演じようとすることを「衝動強迫的な反復」という。

この衝動強迫がいかに強く人々の人生を支配しているかということは、いくら強調してもしきれない。ほとんどすべての自滅的行動、とりわけ男女の関係で必ずごたごたする人やいつも相手との関係を自分でつぶしてしまう人の行動は、この「衝動強迫的な反復」という観点から説明がつく。彼のケースはその典型的な例である。彼もアル中の親を持ったほとんどすべての子供と同じように「二度とアル中の人間とは関わり合いを持つものか」と思っていたのだが、心の奥底に深く根づいた無意識の力は、意識の力よりはるかに強力だったのである。

なぜ同じことばかりくり返すのか

アルコール中毒者が同じことをくり返す力の強さを物語る例として、「もう二度と暴力を振るったりしない」と何度約束しても、またそれをくり返す人間というのがいる。約束を反古《ほ ご》にするのはアルコール中毒者によくみられる特有の問題のひとつである。

つぎの例は、ある病院のアルコール中毒治療のリハビリセンターで働いていた女性のケースだ。多くの同様のセンターで仕事をしている人たちと同じように、彼女もかつては自分もアルコールと薬物の中毒だった。彼女は職場の上司の指示で、私の行っているグループ・セラピーに参加してきた。その時、彼女はアルコールを断って二年目だった。その少し前、彼女は暴力癖のあるボーイフレンドと別れたばかりで、また関係が戻ることを心配した上司が私に会うように勧めたのだ。彼女は気の進まぬまま指示に従っただけで、はじめは「このカウンセリングを受けないとクビだと言われたから来ただけだ」という調子で、かなり反抗的だった。私は「この人は、このつっぱっている外見の奥にどれほどの苦しみを隠しているのだろうか」と思った。

その男は暴力を振るう癖があるので、またよりが戻ることをみなが心配しているのはもっともだと彼女も認めたが、問題はあるが本当はいいやつで、自分が余計なことばかり言うものだから怒らせてしまうのだという。彼が自分のことを愛しているのはわかっているから、すぐ怒って暴力を振るう欠陥さえ直してくれたらと思うと言うのだ。

彼女はまるで、情熱的に愛されているという証しを得るためには、相手を激しく怒らせなくてはならないと無意識のうちに思っているかのような調子で、愛と虐待を混同しているように見受けられた。私は彼女に、そういう行動パターンには思い当たるフシはないかとたずねてみた。しばらく考えてから、彼女は父親との関係に思い当たった。

彼女の父は、一週間のうち五日は酔って家に帰ってくるという重度のアル中だったうえ、家族全員にひどい暴力を振るった。母は父を恐れてそれをとめることができなかった。だが父は飲んでいない時はまともで、魅力的なことすらあり、そういう時には最高の友達にもなれた。ふたりだけで一緒に遊んでいる時は最高だったという。

アル中の親を持つ子供の多くは、普通なら受け入れられないことでも受け入れる許容力を発達させている。彼女は子供の時、愛情深い父親というのは家族に対してどのように振る舞うものなのかということをまったく知らないまま育ち、楽しい時間を過ごしたければひどい思いにも我慢しなければならないのだろうと推測するしかなかったのだ。こうして、彼女の心のなかでは、愛と苦しみが一緒になり、愛は必ず苦しみをともなうと信じるようになっていったのである。

〝相棒〟の関係

彼女の父親は、男にぶたれたくなかったらどんなことをしてでも機嫌をとっていなくてはならないということを実例をもって教えたわけである。彼女は十歳の時に父親から酒を飲まされるようになり、しだいに父の〝飲み仲間〟となっていった。

アル中の親を持つ子供の、少なくとも四人にひとりは自分もアル中になる。彼らの多くは、ごく若いうちにアル中の親によって酒の味を覚えさせられている。そのような形で一緒に酒を飲むと、その親子のあいだには何やら特別で秘かな感じのする結びつきが生まれる。このような〝共犯関係〟を、子供は〝友情〟のように感じるようになり、それは親から愛と承認を得るためのいちばんよい方法と考えるようになってしまうのである。

また、たとえ親から積極的に飲酒に誘われなくても、アル中の親を持つ子供が将来アル中になる確率はやはり高い。それはなぜなのか？　中毒しやすい体質に遺伝的傾向があるのか、または生化学的な異常なのか、などといったことはいまのところまだわかっていない。だが私は、人間の行動や信条の多くは、親を模倣することによって身につくという大きな要素が存在すると思う。

アル中の親を持った子供は、「激しい怒り」「うつ」「喜びの喪失」「猜疑心《さいぎ》」「人間関係のトラブル」などの問題点を親から受け継ぎ、同時に「不必要で過剰な義務感」を背負っている。そして自分も飲むようになった場合には、「過度の飲酒」という習慣もまた受け継いでしまうということになる。

だれも信じられない

生まれてはじめて子供が持つもっとも重要な人間関係の相手は親だ。その親がアルコール中毒だと、子供は自分が愛する人は自分を傷つけ、その時によって機嫌がいいのか悪いのか予測がつかないものだという意識が身につく。そのため、アル中の親を持つ子供の多くは、大きくなっても心を開いて人に近づくことを内心で恐れるようになる。

ところが、恋愛関係でも友人関係でも、他人といい関係を保つためには、相手を信じて自分の心を開くという、かなり自分を無防備な状態にさらすことが必要となってくる。だがそういうことこそ、アル中の親のいる家庭ではできなくなってしまったことなのだ。その結果彼らの多くは、自分のほうから心を開かなくてもいいように、心を完全に開かないタイプの相手に惹かれていく。こうして彼らは、本当の愛情に満ちた関係を持つことを恐れている自分の姿を直視することなく、本当の深い人間関係とはどんなものかを知らないまま年だけ取っていく。

彼女の〝ジキルとハイド〟みたいなボーイフレンドは、ちょうど父親とそっくりだった。ある時は機嫌がよくて最高だったかと思うと、ある時は最悪になって暴力を振るう。このように、気まぐれなうえ自分を傷つける相手を選んだことで、彼女は子供時代に慣れ親しんだ体験をくり返し、本当の愛情で愛し合う関係という、馴染《なじ》みがなくて不安な領域に足を踏み入れるリスクを避けていたのだ。

彼女はその後も、自分のことを本当にわかってくれるのは父親しかいないという考えにあいかわらずしがみついていた。その考えが間違っているかもしれないという意見はまったく受け入れようとせず、そのために友人達との関係がだめになっていったばかりでなく、私のセラピーも、グループ・セラピーに参加していた他のメンバーとの関係もだめになっていった。こうして彼女は、ついに自分の人生を生きることをあきらめてしまった。

私は彼女がグループを抜けるといった晩の悲しい気分をいまでも覚えている。私はその時、このセラピーは楽なものではなく、非常に大きな苦しみを通り抜けなければならないことはじめに言ってあったはずだ、と再考をうながした。彼女は一瞬、考え直すような表情を見せたが、すぐもとの顔に戻り、こういった。

「私は父をあきらめたくないんです。どうして自分の親に腹を立てなくちゃいけないんですか。それに、あなたに対して父の弁護をし続けるのはもういやなんです。父とはうまくいっているんですよ。どうして父ではなくてあなたを信用しなければいけないんですか？　あなたもほかのメンバーも、私のことを本当に心配してくれているわけじゃないでしょう？　私が本当に傷ついている時に、あなたたちが助けてくれるわけないじゃないですか」

彼女の参加していたグループ・セラピーのメンバーは、みな子供の時に親から虐待されていた人たちで、その時彼女が体験していた苦しみを理解でき、とても協力してくれていた。だが彼女はそれを信じて受け入れることができなかった。彼女にとって、世の中はすでにあまりにも信用できないことばかりであり、あまり心を開いて人を近づけすぎれば自分が傷つくことになると確信していたのである。だが皮肉なことに、その考えが正確にあてはまるのは父親との関係だったのだ。

人を信じることができないということこそ、彼女が父親のアルコール中毒によってこうむった被害の中核を成していた。「信頼感」とは、心が蝕《むしば》まれていくようなつらい状況にある時、真っ先に死んでしまうものなのである。この例でもよくあらわれているように、信頼感の喪失は「毒になる親」の子供が大人になった時にきわめてよくみられる現象である。

その時によって言うことが変わる親

つぎの例は、もの静かな四十七歳になる女性歯科医だ。彼女は長いあいだ、慢性的な頭痛に悩まされていたが、診察した医師は心因性のものではないかと考えて私のセラピーを受けてみるよう勧めたのだった。頭痛には、心の奥にたまっている抑圧された怒りが原因になっていることがある。私は彼女に、いったいどんなことに腹を立てているのかとたずねてみた。その質問に彼女は一瞬びっくりしたような顔をしたが、すぐ自分には怒りがたまっていることを正直に認めた。

――四十七歳になる現在になっても、いまだにアル中の母に人生をいいようにされていることとに耐えがたい怒りを抱いている。母はもういい年だが、飲酒はあいかわらずだ。先日も、久しぶりの休暇で旅行にいこうとしていたところ、出発の三日前になって電話がかかってきた。ろれつがまわらなくなっており、酔っているのはすぐわかったが、驚きはしなかった。電話をかける前には泣いていたようだった。父は釣りの仲間とやはり旅行にいってしまい、寂しさで気が滅《めい》入って耐えられないので、二、三日一緒にいてくれないかと言う。ちょうどこれから休暇で旅行にいくところだと言うと、電話口のむこうで泣き出した。叔母のところへでもいってみてはどうかと勧めたが母はおさまらず、なんとひどい娘だと言って責めはじめた。あの時もああだったこうだったと昔のことまで持ち出してとまらなくなったので、やむなく旅行をキャンセルして会いにいくことを約束せざるを得なかった。どのみちこんな状態では、旅行にいっても楽しめまいと思った。

その出来事は、彼女にとって特に新しいことではなかった。子供の時からずっとそういうようなことばかりだったのだ。彼女はいつも母の機嫌をとって世話を焼いていなくてはならなかった。だが母は感謝することもなく、機嫌が悪いといつも彼女をなじってばかりいた。いちばん嫌だったのは、いつも言うことが変わるので、どうすれば機嫌がよくなるのかわからないことだった。

彼女の母は、息が詰まりそうになるほど優しいかと思うと、信じられないほど残酷になったりしたが、それはその時の気分や飲酒の量、そして彼女の言葉を借りれば、月の満ち欠けと関係があったという。彼女の話によれば、母の気分が高すぎも低すぎもなく安定している日が続くということはほとんどなかったという。そのため、彼女は子供の時から、何をするにもどうやって母に叱られないようにするかをいつも考えていなければならなかった。だが母は、彼女が同じことをしてもある時は機嫌がよく、つぎの日は不機嫌を爆発させた。

どんな親でも、言うことがいつも完全に一貫しているというのは不可能に違いない。だが、ある日は「いい」と言い、つぎの日には「ダメ」と言うパターンは、アルコール中毒の親には特に顕著にあらわれる。親の言うことがそうひんぱんに、しかも不意に変わるようでは、子供は混乱するばかりか、いつも心がすっきりすることがない。それは、親に不満やフラストレーションを吐き出すためのはけ口にされているからである。

アル中の親がこのような行動をするのは、自分が失格者であることをごまかし、自分を正当化するためである。だが、子供には、そういうことはなかなかわからない。飲まずにいられないことを自分以外の人間や物事のせいにするのはアルコール中毒者の常であるが、それを子供のせいにする親もいるのである。子供は親の「話のすり替え」がわからないので、納得はいかなくても自分がいけないのかと思ってしまう。

子供がスケープゴートにされるのは、アル中の親のいる家では昔からよく知られたパターンのひとつだが、その結果、多くの子供は自己破壊的な行動に出たり非行に走ったりしてネガティブな自己像を満たそうとする。また、そうならない場合には、さまざまな心身の症状を示して無意識のうちに自己処罰を行う者もいる。彼女のひどい頭痛もそれだったのだ。

〝感心な〟子供

スケープゴートにされる子供がいる一方、アル中の親によって子供がこうむる被害のもうひとつのパターンに、〝感心な子〟を演じさせられるケースというのがある。このタイプの子供は、親から無理やり巨大な責任を負わされ、それにもめげずに頑張って親や外部の人たちから称賛を浴びる。みなからほめられるのだから、スケープゴートにされるのよりはずっとましなように見えるかもしれないが、実際には子供の心を蝕む程度はほとんど変わらない。その〝感心な子〟は達成不可能なゴールを達成しなくてはならない圧迫感をいつも感じ、自分を駆り立て続けるようになるからだ。

数年前、私のやっていたラジオ番組に電話をしてきた、化学研究所に勤める四十一歳の男性の例を紹介しよう。

それまで順調に出世してきたのだが、最近、仕事のうえで何かを決定しなくてはならない時に決められなくなってしまった。現在ある大きなプロジェクトの最中なのだが、仕事にまったく集中できなくなり、部下もたくさんいて責任が重いのでパニック状態だ。

子供時代から成績優秀でずっとエリートだった。それがいま、まるで金縛りにあったように身動きが取れなくなってしまった。この突然の変化は、そのころ父親が肝硬変で入院したことが引き金になっていた。両親はともにアルコール中毒だった。家では学校の勉強に没頭することによって、家庭内の騒動に対抗しながら成長した。そして何でも一番でないと満足できない少年になった。

学校でも家でも、完璧《かんぺき》な子供だった。先生も祖父母も両親も称賛した。社会に出てからも優秀な化学者、結婚後も完璧な夫、子供ができたら完璧な父親、……。そしてついに、常に完璧であることに疲れ果てた。


彼は小さなころから能力以上の重荷を背負わされ、それに耐えて年齢に不相応な努力をしてなんとかやり遂げることで周囲から認められてきた。つまり、生まれつき価値のあるひとりの人間として扱われることによって自己に対する確信の中心を形成していくのではなく、何を達成したかという外面的なことによってのみ、自分の価値を証明しなければならなかったのだ。そのため、彼の自信は、どんなことができたか、どんな成績を取ったか、人から称賛を受けたか、などということによってのみ決定され、ひとりの人間として内面からわき出てくるものではなかったのである。

子供時代の彼があらゆることに優秀だと言われるほどになったのは、そうなることによって暗くみじめな家庭環境に対抗するためだった。「家でも学校でも完璧な子供」という役は、人生にある程度の確信を与えてくれたが、彼は自分を駆り立てるばかりで、自分をなぐさめたりリラックスすることを知らなかった。それから何十年もたったいま、人生のすべての分野で完全であろうと頑張り続けてきた彼は壁に突き当たり、身動きがとれなくなってしまったのだ。

周囲をコントロールしたがる

アルコール中毒の親を持った子供は、感情が常に不安定な親に翻弄《ほんろう》されながら育ったため、その反動から、自分の周囲のすべてがいつも自分の思う通りになっていないと気がすまない人間になることが多い。先ほど例にあげた男性も、子供の時から感じていた救いようのない人生に対する反動から、臆病な性格にもかかわらずまわり中の人間をコントロールしないと気がすまないタイプの人間に成長した。このパターンは、特に異性に対する態度によくあらわれる。

若いころからガールフレンドと長く続いたことがなかった。関係がうまくいっているのに自分のほうから別れてしまうのだ。いま思い返すと、まるで相手に振られるのが怖いので自分が先に振っているみたいだった。それは、自分がすべてをコントロールしていないと気がすまないことのあらわれだったと思う。現在では結婚しているが、家ではワンマンで、妻や子供にあらゆることを指図する。職場でもそれは変わらない。部下を怒鳴りつける度胸はないが、気に入らないことがあると不機嫌になり、むっつりしてみなのひんしゅくを買っている。

彼が周囲のすべてをコントロールしようとするのは、そうすることによって悲惨だった子供時代の体験をくり返すことが避けられると無意識のうちに信じていたからだった。彼は断固とした態度を取ることはできない性格だったが、不機嫌な顔をしたりうるさく小言をいうことで、命令はしなくてもやはり周囲の人間をコントロールしようとしていたのだ。

だが残念ながら、そのように間接的に人をコントロールしようとする行動は、本当は親しくなりたいと思っている人たちとのあいだの距離を広げ、彼に対する嫌悪感を作り出すだけだったのである。すべての種類の「毒になる親」を持った多くの子供たちと同様、人をコントロールしたがる彼の性格は、相手からの「拒否」という、自分がもっとも恐れている結果を招くだけだったのだ。子供の時に寂しさや孤独感に対抗するために身につけたその性格が、大人になってから寂しさと孤独をもたらすことになったというのは、なんとも皮肉な結果である。

もう一方の親の果たしている役割

ところで、先に例にあげた化学者のように、両親が二人ともアルコール中毒というのはまれで、たいていの場合は片方の親はそうではない。以前はあまり注目されていなかったことだが、最近の研究では、そういう家庭環境におけるアルコール中毒ではないほうの親の果たしている役割についてよくわかってきている。その親は、アル中の親の〝協力者〟であり、〝共依存〟（訳注：第二章五十五ページ参照）の関係にあるのである。

それはどういうことかというと、この、〝飲まないほうの親〟は、アル中の夫（または妻）が引き起こしているさまざまな問題の被害にあっているという事実にもかかわらず、自分では意識せずに相手の飲酒に協力しているということなのだ。つまり、結局はアル中の夫（または妻）が家庭を破壊する行為（＝飲酒）を受け入れることで、この親は飲酒の問題の後始末をすることを暗黙のうちに相手に伝えているわけである。これらの共依存者は、相手の飲酒が引き起こしている問題について、口では文句を言ったり、飲むのをやめるようにと懇願《こんがん》したり、愚痴《ぐち》を言うことはあっても、飲酒をやめさせるために強い手段に出ることはまずほとんどない。

これにはおまけがつくことがある。共依存者は相手の面倒をみていることによって自己を保っているということを思い出していただきたい。アル中の親のいる家庭は、全員が「事実の全面的な否定」をすることでようやく機能している。そして各人がそれぞれの役割を演じることにより、家庭は不安定で微妙なバランスのうえに成り立っている。その結果、アル中の本人がその事実を認めて治療を受け、アルコールを断つ努力をはじめると、今度は配偶者（＝共依存者）のほうが健康を損ねて病気になったりすることがあるのである。

共依存者は、「事実の否定」をすることによってアルコール中毒者の行動を黙認し、その相手が哀れなアル中であることを許し、そのかわりに相手をコントロールする力を得ていることがある。相手が酔いつぶれるとともに、一家を自分の好きなように動かす自由を手に入れているというわけだ。だが、いくら〝しっかり者〟の外見を取りつくろっていても、共依存者は内心自信がなく、非常に不安である。多くの人は、自分が自分のことをどう思っているかを映し出しているような相手を無意識のうちに人生のパートナーに選ぶものだが、共依存者が〝ダメ人間〟をパートナーにするのは、自分が〝ダメ人間〟であることを自覚してのことばかりではなく、相手と比較して自分のほうが優れていると感じることができるためのこともある。

ハッピーエンドはない

アル中の親のいる家庭には、おとぎ話のようなハッピーエンドはまずほとんど訪れない。もしあなたの親がアル中だったら、彼（彼女）にできることは、よくて自分がアル中であることを認め、飲酒の原因はすべて自分にあることを認め、更生するための治療を受け、アルコールを断つことである。そして自分が子供に対してどのような害悪をなしてきたかを認め、親として責任のある、そして愛情のある親になると決心することだ。

だが残念ながら、現実は理想とはほど遠い。飲酒がやめられないこととその事実の否定、さらにそういう自分について話をすり替えたり事実をねじ曲げたりすることは、しばしば本人が死ぬまで続く。アル中の親を持つ子供の多くは、大人になった後もまだ「親がまともになって、あたたかくて楽しい家庭になってくれたら」という魔法のような希望にしがみついている。だがそのような希望にいつまでもすがっていれば、その後さらに大きな落胆を招くという悪循環に陥るだけである。

それに、たとえある日突然、そういう親が優しい言葉を口にしたとしても、それだけで長く悲惨だった過去の日々が急に消え失せるわけではないであろう。長い間待ち望んでいたはずのその優しい言葉はむしろ表面的にしか感じられず、空しさばかりが残るというのが現実かもしれない。いくら言葉ばかりかけてくれても、飲酒のほうはいっこうに直らないというのならなおさらだ。もしあなたがそのような空しさを経験したとしたら、あなたの犯した間違いは、アル中の親が変わってくれたら、と願ったことにある。

もしあなたがアル中の親の子供だったら、自分の人生を自分の手に取り戻すためのカギは、そのような親を変えなくてもあなたは変わることができるのだと自覚することだ。あなたの幸福は、あなたの親がどんな親であるかによって左右されなければならない理由はないのである。たとえ親はまったく変わらなくとも、あなたは子供時代のトラウマを乗り越え、親によって支配されている人生を克服することができる。あなたに必要なのは、それをやり抜く決意と実行力だけなのだ。

そのために効果のあるひとつの方法として、同じような境遇の人たちが集まってグループで行うセラピーがある。現在のアメリカには「アルコール中毒の親を持つ仲間の会」などの組織が全国にたくさんある。これらのグループでは、自分の体験や思いなどをお互いに交換することによって、そういう境遇にあるのは自分ひとりだけではないことを知り、みながお互いを支え合うことができる。こうして彼らは、自宅のリビングルームに居座っている恐竜に毅然《きぜん》とした態度で立ち向かうことができるようになっていく。正面から立ち向かうことが、この化け物をあなたの人生から追い出すための第一歩なのである。

第五章　残酷な言葉で傷つける親

　肉体的な暴力でなければ暴力ではないと考える人は多いが、それは正しくない。言葉による暴力はそれと同じくらい、時にはそれ以上に人を傷つける力を持っている。特に、親による侮辱的なののしり、はずかしめ、バカにした言葉などは、子供の心を著しく傷つけ、将来の心の発育に劇的な悪影響を及ぼす。ある時、私にこう言った人がいた。

「ひどい言葉で傷つけられるのよりは、ぶたれるほうがまだましですよ。ぶたれた痕《あと》が残っていれば、少なくともみなが同情してくれる。言葉で傷つけられた場合には外から傷が見えないでしょう。体の傷は心の傷よりずっと早く治りますよ」

　従来、子供のしつけというのはプライベートなことと考えられ、各家庭の、特に父親の自由裁量で行われてきた。近年ではひどい親による子供の虐待の問題が社会的に真剣に取り扱われるようになってはきたが、それでも言葉による虐待についてはまったく何もなされていないのが実状だ。

残酷な言葉の持つ力

どんな親でも、時には口汚い言葉を子供に浴びせることもあるかもしれないが、それだけでは必ずしも言葉による虐待ということにはならない。だが、子供の「身体的特徴」「知能」「能力」「人間としての価値」などについて、日常的かつ執拗に、ひどい言葉で攻撃を加えるのは虐待である。

言葉で傷つける親には、「コントロールしたがる親」と似た、きわだった二種類のタイプがある。そのひとつは、はっきりと悪意のあるひどい言葉や汚い言葉で露骨にののしるタイプ。もうひとつは、一見悪く言っているようには聞こえない「からかい」「嫌味《いやみ》」「屈辱的なあだ名」「はっきりとわからない微妙なあざけりやけなし」などの、より陰険な方法で執拗《しつよう》にいじめるタイプで、これはしばしばユーモアという外見を取りつくろっている。

ここではまずはじめに、その後者の例として、ある四十八歳の歯科医のケースをあげてみよう。

彼は背の高い、いかつい顔つきの男性で、趣味のいい服に身を包んだところは一見外向的で自信に満ちた男のように見えた。だが、話をはじめるとたいそう声が小さく、よく聞き取れないので何度も聞き返さなくてはならないほどだった。彼が私をたずねてきた理由は、内気な性格を直せないだろうかという相談だったのだ。

人が口にする言葉に異常に敏感で、そのまま言葉どおりに受け取ることができず、自分のことをバカにしているのではないかといつもくよくよ考えてしまう。妻のあの言葉は自分をバカにしている、親は自分をバカにしている、あの人があの時言ったのは……という調子で、夜中にベッドに入っても昼間に人が言った言葉が気になって寝付けないことがある。すべてを悪いほうにばかり解釈してしまう自分がとめられない。このままではノイローゼになってしまう……。

子供時代のことを聞いてみて、彼はいつも父親にからかわれていたということがわかった。父はジョークを言う時に、いつも必ず彼をだしに使ったのだという。それで彼はいつも屈辱感を覚えさせられ、家族のメンバーがみなで彼を笑うので、自分だけひとりぼっちのように感じていたという。

時には単なるジョークとは思えず怖くなることもあった。六歳の時、父は「この子はうちの子じゃないに違いないよ。顔を見てごらん。生まれた時に病院で別の家の赤ん坊と間違えられたのに違いない。病院に連れていって本当の子と交換してもらおう」と言った。本当に病院に連れていかれるのではないかと怖くなった。ある時、なぜ自分ばかりいじめるのかとたずねると、「いじめてなんかいないよ。ただ冗談を言っているだけじゃないか。お前にはそれがわからないのか」と言われた。

小さな子供は、ジョークと本当のことを区別することがまだできないし、脅しとからかいの違いもわからない。健康的なユーモアは人間生活にうるおいをもたらし、家庭では家族のメンバーの結びつきを強める貴重な手段となるが、だれかをこき下《お》ろすことによって残りの人間を笑わせようとする冗談は、とてもユーモアと呼ぶことはできない。家庭内でひとりの子供がターゲットにされると、その子供の心にはきわめて大きな傷が残る。子供というのは言われた言葉をそのとおりに受け取るものである。

多くの冗談は、多少は人をからかう要素を含んでいる。だが通常そこに悪意はなく、ほとんどの場合はそのような冗談を言われたからといって深く傷つくということはない。そこで重要なのは、(1)何を冗談のタネにしているのか、(2)残酷さの程度、(3)その発言の頻度、の三つであり、それによっては冗談が冗談でなくなるのである。子供というのは、親の言葉はすべて額面通りに受け取り、自分のなかで「内面化」(訳注：百三十一ページを参照)してしまうものである。傷つきやすい子供をターゲットにして冗談をくり返し言う親は、加虐《かぎゃく》的で有毒である。

この男性の場合は、いつもこき下ろされ、笑いものにされていたが、それに抵抗して争おうとすると、今度は「冗談がわからないやつだ」と責められ、「ダメなやつだ」とやはり自分が悪いことにされた。子供はそういう状態に置かれた時、感情の持っていき場がない。彼は子供時代の体験を私に話しているあいだじゅう落ち着かず、もう何十年も前の出来事なのにもかかわらず、いまだに思い出すたびに居心地の悪い思いをしているのがよくわかった。

彼のつぎの言葉は強く印象に残った。

私は父を憎んでいます。なんという卑怯者《ひきょうもの》だろうと思いますよ。そのころ私はまだほんの小さな子供だったのですから。いまでも父は同じような冗談を言います。私をからかえそうなことが何かあれば、絶対に見逃さないんですよ。そしてひどいことを言っておいて、すぐ善人みたいな顔をして笑うんです。最悪ですよ。

彼はカウンセリングをはじめたばかりのころ、自分が極度に神経質であることと子供時代の父親の〝あざけり〟とが関連していることにはまったく気づいていなかった。当時は、父親からひどいことを言われても、それがひどい行為だとだれも認めてくれず、だれも助けてはくれなかった。典型的な〝絶対に勝ち目のない状況〟に置かれていた彼は、「自分は弱虫だ」と感じていた。

大人になって家から独立し、社会人になったが、それで基本的な性格が変わるわけではない。父親のいじめによって身についた、人に対するネガティブな反応のパターンは、対人関係で同じようにくり返された。それが人の言動に対する過敏な反応や不信感、非常に内気な性格、などとなって固定した。それは彼にとって避けることができなかったこととはいえ、そうなったところで傷つくことから身を守るにはまったく効果のないことだった。

「お前のために言ってるんだ」という口実

残酷で侮辱的な口汚い言葉で子供を傷つけながら、「お前をもっとましな人間にするためだ」とか「世の中は厳しいんだ。それに耐えられる人間になるよう教えているんだ」などといって正当化する親は多い。こういう親は、実際には虐待しているのに、表向き「教えているのだ」という仮面をかぶっているため、被害者の子供は大人になってもその有害性がなかなかわからない。

なかには、とにかく子供をけなしてばかりいる親がいる。子供は「怒られている自分が悪いのだろう」とは感じても、やはりすっきりした気分にはなれない。後ろめたい気持ちに反発が混ざり合い、自分が何かをちゃんとやれていると思えることがなく、これでは自信など生まれるわけがない。何かがうまくできたと思った時でも、ひとことのけなしでその気持ちはしぼんでしまう。自信を育てなければならない大切な時期に、励まされるのではなくけなされるのでは、自信の芽は摘まれてしまうのである。だが親は、「わからせてやるため」という理由をつける。

こういう親は、実は自分に能力がないことに対してフラストレーションを抱えている。なかには子供をけなすことで自分の優越性を示そうとする親もいるが、そういう親は、そのような行動をすることによって自信のない自分を隠しているのである。彼らは子供をクラスメートの前でこき下ろして恥ずかしい思いをさせるようなことも平気で行う。思春期の少年少女にとって、それはもっとも恐ろしいことである。だが「毒になる親」は、そんな子供の気持ちより自分の気持ちのほうが常に大事である。

子供と競おうとする親

何事でも人を自分と比較し、自分のほうが優れていないと気がすまない人がいる。こういう人は、相手に能力の欠ける点を思い知らせることによってでしか、自分に能力があると感じることができない。そういう人間にとっては、相手が自分の子供であっても同じことだ。特に、子供が思春期を過ぎて大きくなってくると、自分に自信がなく不安な親は脅威を感じるようになる。

心の健康な親にとっては、子供が成長してさまざまなことができるようになってくるのは、喜び以外のなにものでもない。だが心の不健康な親は、自分から何かが奪われていくような気分になり、子供に「かなわなくなってくる」ように感じる。だが、子供に対抗しようとする親のほとんどは、なぜ自分がそういう気持ちになるのかに気づいていない。

母親の場合、年とともに女としての魅力を失っていくことを不安に感じているところへ、娘がしだいに大人の女へと近づいてくる。父親は、年とともに力強さを失ってきているところへ、息子が自分よりも大きくたくましくなってくる。それは本来喜ぶべきことなのにもかかわらず、何事も自分のほうが優位でないと不安な「心の不健康な親」は、それに脅威を感じるのである。そこで、体の大きくなった子供に嫌味を言い、あざけり、辱めることによって、弱い立場のまま抑えつけておこうとする。一方、そういう親を持った思春期の子供はいっそう背伸びをして大人の真似《まね》をしたがり、それが親を挑発して、ますます事態を悪化させる。

何事も競いたがる親は、子供時代に物が不足していたり、彼ら自身の親がやはりそのような人間だったために愛情を与えられなかった犠牲者であることが多い。その結果彼らは、物でも愛情でも、自分にとって必要なものがいつも不足している気分がしてあえいでいる。そのため、いくらたくさん手に入れても、「これで十分」と安心することができないのである。こういう親の多くは、自分自身が子供の時に親や兄弟姉妹から味わわされたのと同じことを自分の子供に対してくり返す。この不当な扱いは、巨大な圧力となって子供のうえにのしかかってくる。

このような親に育てられた子供は、何かのことで親をしのぐことができた時、なんとなく後ろめたい気分になることがある。うまくやれればやれるほど、ますますみじめな気分になってくるのである。それが高じると、将来自分の成功を自らつぶしてしまうようになることすらある。

そのような人間にとっては、あまり成功しないことが心の平安を得るための代価となる。彼らは無意識のうちに自分に限界を設定し、親に勝らないようにすることで罪悪感から救われようとするのである。ある意味では、そういう子供は親のネガティブな哲学を実行して満たしているともいえる。

侮辱で押される烙印《らくいん》

つぎは、理屈をつけて自分を正当化するような面倒なことはせず、怒りもあらわに残酷で口汚い言葉でののしり、長々となじるタイプの親だ。こういう親は、自分の言葉がどれほど深く子供を傷つけ苦しめているかということにはまったく無感覚で、そんなことは考えようともしない。言葉によるこのような虐待は、ちょうど心の奥深くに烙印を押したように傷跡を残し、子供が自分の存在に価値があると感じることのできる人間に成長することを困難にする。

つぎに例にあげるのは五十二歳のインテリアデザイナーで、若いころはモデルとして活躍していたこともある女性だ。もめていた離婚がつい一年前に成立したばかりで、将来に不安を抱いていた。しかもちょうど更年期でもあり、美貌《びぼう》の衰えも重なって、パニックに近いほどの精神不安定に陥っていた。また、最近両親と会って話をしたことで精神不安定がひどくなったと言う。

それは毎度のことだった。両親と会うたびに、いつも傷つき落胆させられるのだ。それなのに、今度ばかりは優しい言葉をかけてくれるのではないかとつい思ってしまう。だが、どんなに困っていても、「そんなことは自分のせいじゃないの」という言葉が返ってくるだけだ。覚えているかぎり、両親はそれしか言ったことがない。

この年になっても、彼女の両親はいまだに心理的に強大な力を行使していた。彼女は中西部の裕福な家に育ち、父は優れた医者で、母は若いころはオリンピック級の水泳選手だったが、子供たちを育てるために引退したのだという。

幼いころから、父親はいつも残酷な言葉で私のことをからかっていたが、十一歳のころ特にひどいことを言い出した。「お前は臭い」と言うのだ。それ以来、父はしょっちゅう「お前がどれだけ不潔で臭いかをみんなが知ったら、たまげるよ」と言うのだった。母はといえば、父が私をからかうのを黙って見ているだけだった。

父親のこういう言葉が、思春期をむかえつつある少女をどれほど傷つけたかは想像に難くない。こんなことを言うのが医者だとは、まったく驚くほかはない。このような言動は、大人の女に成熟しつつある思春期の娘に対する自分の先入観をどう処理したらよいのかわからない中年の父親によく見受けられるものである。彼らは、娘が小さな子供だった時には普通の父親でいられたのに、娘が成長して性的な魅力が増してくるとともに意識過剰になり、どうしていいかわからないために攻撃的になるのである。

思春期の情緒不安定な時期こそ、子供は愛情ある親の支えが必要である。それがその子供を自信ある大人へと成長させるのだ。だがその大切な時期に、父親が理不尽《りふじん》な理屈で子供をいたぶり、母親はまるで助けてくれない（これは逆の場合もあり得る）のでは、子供はどうしたらよいのかわからない。

十七歳の時からモデルの仕事をはじめた。だが仕事で成功すればするほど、父のいじめはあからさまにひどくなっていった。そういうこともあって家を出たかったため、十九歳の時にプロポーズした男と結婚した。だがその男は暴力を振るい、赤ん坊が生まれると家を出ていってしまった。私は打ちひしがれ、自分を責めた。

ひとり目がそういう男だったので、つぎは物静かで平和な男と再婚した。だがこの男はほとんど口をきかないほど感情表現がなく、やはり本当に幸せにはなれなかった。しかしまた別れたら親に何と言われるかと思うと恐ろしくて別れられず、十年間一緒に暮らしたが、結局離婚した。モデルとして収入は安定していたので、ひとりで子供を育てることができた。そしてようやくぴったりの相手と思われる男と出会い、また再婚した。この時期が、人生でいちばん幸福な時期だった。だがしばらくすると、その夫が浮気をしていることがわかった。ようやくつかんだ幸せを離したくないという気持ちから夫を許したが、その後も浮気はやまず、そのままさらに十年が過ぎた。そして一年前、夫は私を捨てて若い女のもとに去ってしまった。

彼女は、父親がくり返し言っていた「お前はできの悪い女だ」というイメージを自己の内部で「内面化」していたのだ。その結果、大人になってからの人生のほとんどは、与えられない愛を求めてさまようようになってしまった。それは、少女のころに求めていた愛情を父親が与えてくれなかったことが原因だったのである。そして彼女は、残酷な、または加虐的な、または心を開かない男ばかり選んでしまったが、それらはすべて父親との関係の再現だったのだ。

彼女の人生はなぜこんなことになってしまったのだろうか？　それは、自分に対する自信が、父親や夫たちの言動に依存していたからである。そのような彼女が自信を取り戻すには、若いころに父親によって植え付けられた「自滅的な信条」と正面から対決する以外にはない。

完全でないと許さない親

子供をひどい言葉でののしるもうひとつのタイプに、すべてに完璧であるようにと子供に実現不可能な期待や要求をする親がある。そのような親の多くは、往々にして自分自身が何事につけ完全でないと満足できないタイプの人間であることが多いが、とかく子供を仕事などのストレスからくるフラストレーションをぶちまけるためのはけ口にしてしまうのである(アルコール中毒の親も子供に不可能な要求をすることがよくあるが、彼らの場合は、子供が要求通りにできないことを自分が酒を飲む口実にする)。

このタイプの親は、まるで「子供さえ完璧であれば自分たちは完璧な一家になれる」という幻想を信じていなくては生きていけないかのようだ。彼らは自分たちが精神的に安定した家庭を築くことができない事実から逃れるため、その重荷を子供に背負わせているのである。だが子供は当然親の期待通り完全であることはあり得ず、するとそれを理由に一家の問題がそこにあるかのように扱われ、子供はスケープゴートにされてしまうのである。

間違えたり失敗したりすることは、子供の心が健康に成長するためには必要なプロセスである。子供はそういう体験をすることによって、多少の失敗をしてもそれがこの世の終わりではないことを学び、その結果、経験したことのない新しいことにもチャレンジできる自信を身につけていく。だが、子供が自分の思う通りに完全でないと満足しない親は、過剰な期待や要求ばかり押しつけ、子供がその通りにできなかったり失敗したりすると、なぐさめるどころか落胆してみせたりなじったりする。また、そういう親は子供が守らなくてはいけないルールを作るのが大好きだが、それは自分の都合でいつも変わってばかりいる。

子供が親から与えられることを必要としているのは、「自分は愛され守ってもらっている」という「安心感」なのに、これでは逆である。子供はいつも何かに追いかけられているような気分と不安感から逃れることができない。

ここで、もうひとつの例を紹介しよう。ある時、職場で上司とうまくいかないという問題を抱えた三十三歳になる技師が私をたずねてきた。彼は見るからに内気そうで、自意識過剰ぎみに見え、自分に確信がなさそうだった。だが彼は、会社では上司と衝突してばかりいるうえ、最近集中力が落ちてきて、このままでは遠からずクビになってしまいそうだという。

仕事について話を聞いているうちに、彼は地位や権威のある人物に対してはどうしても反抗心が起き、うまくやっていくのが難しい性格であることがわかってきた。そこで私は、両親についてたずねてみた。やはり彼も、子供のころから親にひどい言葉で人格を傷つけられてきた人間だったのだ。

九歳の時、母親が再婚した。義父となった相手の男は完全主義者で、日常の細かいこと

まで規則を作り、あらゆることを命令した。例えば、小さな子供の部屋はたいてい乱雑に散らかっているものだが、義父は子供の持ち物や子供部屋を毎日点検し、ちょっとでも散らかっていようものならひどい言葉でなじった。兄弟のなかでも特にターゲットにされ、ひんぱんに残酷な言葉を浴びせられた。義父は私を叩いたことは一度もなかったが、そのような言葉の暴力は、肉体的暴力に勝るとも劣らない傷を負わせたと思う。

なぜ義父は彼にばかりそんなことをしたのだろうか。彼の何かが、義父にそのような行動を起こさせたのである。彼は子供のころ体が小さく、恥ずかしがりで内向的だった。そしてわかったことは、義父もまた子供のころクラスでいちばん小さく、いつもみなにいじめられていたということだった。いまでは筋肉隆々としているが、それはボディービルをしてつけたものだという。

義父の心のなかには、いまでも小さくて怯《おび》えた少年が住んでいた。だから自分の子供のころによく似た彼を見ると苛立《いらだ》ち、いじめずにはいられなかったのだ。はっきり見つめたくない、自分の劣っている点を彼のなかに見ると我慢ならず、無意識のうちにそれを叩きつぶそうとしたのである。

彼はその後短大に進んだが、一年で中退した。科学者になりたかったが、素質はあったにもかかわらず勉強に集中できなかったのだ。知能指数は高かったのだが、何かに挑戦するとなると、とたんに腰くだけになるのである。その時までにはそのパターンがすでに身についてしまっていた。

社会に出てからは、どんな仕事をしてもいつも上司に対して反抗的になった。それは、やはり子供の時に身についたパターンをくり返していたのにほかならない。いくつもの職を転転とした後、最近ようやく気に入った仕事を見つけることができた。だがそこで、また上司と問題を起こしそうになり、心配になってカウンセリングを受けに来たのだ。

彼がいつも上司に対して反抗的になるのは、すでに会わなくなって久しい義父にあいかわらず心を支配され、「こき下ろしの言葉」が頭のなかでくり返し鳴り響いていたからである。その結果、彼が陥っていたのは、「完全主義」「ぐずぐずする癖」「金縛《かなしば》り」の三つであった。

いまの仕事はとても気に入っているが、完璧にはやりおおせないのではないかという恐れをいつも抱いている。そのため、しなくてはいけないことをぐずぐずして、期限を過ぎるまで引きのばしたり、ぎりぎりになってからあわててやって結局失敗するということをくり返している。すると今度は、失敗するたびにクビになるのではという不安が頭をもたげる。そこで上司が何かを言うと、非難されているように感じて過剰に反応したり反発したりする。最近、仕事が遅れていて、ついに仮病を使って休んでしまった……。

義父によって植え付けられた完全主義は、「うまくできなかったらどうしよう」という恐れを生み、そのために彼はとかくぐずぐずして何でも延期する癖がついてしまっていた。だが、しなければならないことは後回しにすればするほどたまっていき、ますます圧迫されるという悪循環に陥る。こうして不安感は雪だるま式に膨《ふく》らんでいき、すると今度はまったく何も手につかない状態になってしまう。つまりこれが「金縛り」である。

彼は私のアドバイスを受け入れ、仕事の妨げとなっている自分の個人的な問題について上司と正直に話し合い、療養のための休暇を申し入れた。雇用者側は理解を示して二ヵ月間の病欠を認めてくれた。もちろん、二ヵ月で心の問題をすべて解決することは不可能だが、カウンセリングを効果的なものにするには大いに役立った。彼はその二ヵ月のあいだに自分の抱えている性格的な問題を正面から直視し、原因を理解することができるようになった。そして仕事に復帰してからは、上司と衝突することがあっても、それは仕事のうえで実際に問題があってのことなのか、それとも自分の内面の傷が衝突を引き起こしているのか、という違いが区別できるようになった。彼はその後もさらに八ヵ月間のセラピーを続ける必要があったが、職場ではみんなから別人になったようだと言われるまでになったという。

成功と反逆

完全主義の親の過剰な要求に悩まされる子供は、普通二通りの道をたどる。親の承認と称賛を得るために必死で頑張るか、親の望む通りにしないように反逆するかである。

前者の場合、子供は常にだれかに点をつけられているかのように感じており、何をしても十分やったという充足感を味わうことができない。まして、ちょっとでも間違えるとパニックに襲われてしまう。

後者の場合、〝成功する〟ことはまるで親の圧力に屈することであるかのような気がするため、反発して無意識のうちにいつもそれとは反対のことをしてしまう。その結果は、いくらそうなりたくはないと言っていても、知らない間に失敗と敗北の人生を生きることになってしまう。いま例にあげた青年はこのパターンだった。

そのどちらにせよ、頭のなかで鳴り続ける親の声を消し去らないかぎり、状況が変わることはない。

呪縛となる親の言葉

最後に、親の残酷な言葉が子供にもたらした極端なひどい例を紹介しておこう。その人物は、数年前に私がカウンセラーをしていた病院に入院していた四十二歳になるロサンゼルス市警の現職警察官である。この警官は、自殺の危険性があるとして入院を命じられていた。

彼は自分の身の安全ということをまったく考えず、不必要で危険すぎる捜査ばかりひとりで行っていた。そして入院を命じられる少し前には、応援を呼ばずにひとりだけで危険なドラッグ密売人の手入れを行い、命を落としそうになったのだという。その行動を表面的に見れば、勇敢で英雄的なものに見えるかもしれないが、実は無謀で無責任なものでしかない。その後、市警内部で、彼は職務を利用して自殺したかったのだという噂が流れはじめた。グループでのカウンセリングをはじめてしばらくして、彼が子供時代に異常な母親の言動に苦しめられていたことがわかった。

父は母の異常なヒステリーに耐えかね、私が二歳の時に家を出ていってしまった。母は私に対しても激しいかんしゃくを爆発させ、それはひとたびはじまると何時間も終わらなかった。育つにつれ私が父親の面影に似てくると、母の怒りはますますひどくなった。母はよく「お前はあのろくでなしの親父にそっくりだ」と言い、ある時などは「親父と一緒に死んでしまえ」とまで言った。その後、母親に殺されてしまうかもしれないと心配した近所の人が私を施設に入れようとしたが、実現しなかった。大人になってからは、子供時代のことなどどういうことはないと思っていたが、いまでは母が自分をいかに憎んでいたかを考えるたびに心の凍る思いがする。

彼の母は、彼が幼いころから非常に明確なメッセージを送っていたのである。それは、「私はお前がいらない」というものだったのだ。父親も家を出ていった時に幼い彼を救おうとしなかった。こうして彼は警察官になってから、子供の時から母が望んでいたことを無意識のうちに実行しようとしていたのである。

この例でよくあらわれているように、親の非情な言葉は子供をひどく傷つけるばかりでなく、魔力をもった呪文《じゅもん》となることがある。実は、彼のような形の自殺願望は、こういう親を持った子供には比較的よくあるのである。そのような子供にとっては、文字どおり「毒物のような親」との過去の心の結びつきを清算できるかどうかは、まさに生きるか死ぬかの問題であるといえる。

親の言葉は〝内面化〟する

友人や教師や兄弟姉妹そのほかからけなされても傷つくことに違いはないが、子供がもっとも傷つくのは親の言葉だ。つまるところ、小さい子供にとって親というのは世界の中心なのである。全能のはずの親が自分のことを悪いと言っているのなら、「自分は悪いのに違いない」と潜在意識は感じる。もし母親がいつも「お前はバカだ」と言い続けているなら、私はバカなのだろう。もし父親がいつも「お前は無能だ」と言っているのなら、私は能のない人間なのに違いない、等々。小さな子供には、親によるそのような評価に疑いを投げかけるようなことはできない。

人間の脳は、人から言われた言葉をそのまま受け入れ、それをそっくり無意識のなかに埋め込んでしまう性質がある。これを「内面化」といい、ポジティブな概念もネガティブな言葉や評価も同じように無意識のなかに収納される。するとつぎに、人から言われた「お前は○○だ」という言葉が、自分の内部で「私は○○だ」という自分の言葉に変換されるのである。これは子供においては特に顕著で、親のけなしやののしりの言葉は心の奥に埋め込まれ、それが自分の言葉となって、低い自己評価や人間としての自信のなさのもとを形作ってしまう。

このように、親の言葉による虐待は、子供がポジティブな自己像（自分には愛情があり、人からも愛され、人間として価値があり、能力もあるというイメージ）を持つ能力をはなはだしく損なうばかりではなく、将来どのようにして世の中とうまくつき合っていけるかということについてもネガティブな像を作り上げてしまうのである。

このようにして内面化され、自分で自分を苦しめるもとになっているネガティブな自己像を、再び表面に引き出すことによって打ち破っていく方法については、第二部で細かく述べたいと思う。

私はふと気づくと腹を立てていることがよくあり、時には理由もないのに悲しくて泣きたくなることもある。多分、自分にフラストレーションを感じているからだろう。親にどれほど傷つけられ屈辱を味わわされてきたかということが、いつも頭のなかから離れない。友達とは長続きしたことがない。いつもひとかたまりの友人をまとめていっぺんに切ってしまうようなところがある。自分がよくない人間であることを知られたくないからかもしれない。

こう語ったのは、ある大企業で品質管理課長をしている四十歳の女性だ。彼女は精神不安定がひどく、診察した医師の勧めで私に会いに来た。車や会社のエレベーターのなかでパニックに襲われる閉所恐怖症がひどく、その医師はトランキライザーを処方していたが、彼女が仕事に出かける時以外はアパートにこもって一歩も外に出なくなったため、心理学的治療を受けるようにと説得したのだ。

アメリカ中西部の郊外で裕福な家に育ち、外から見れば何不自由ない暮らしのように映ったに違いないが、家のなかは悲惨そのものだった。父親は異常に腹を立てやすい性格で、特に母親と口論をした後には子供たちに当たり散らし、妹と一緒にベルトで体中を叩かれた。荒れ狂いだすととまらなくなり、永久にやめないのではないかという恐怖をよく覚えた。

彼女の父は地元では有名な銀行家で、毎週日曜日には教会にいき、近所では良き家庭人と信じられていた。家で子供を虐待しているなどとは、だれも夢にも思わなかったに違いない。だが子供たちは悪い夢でも見ているような日々を送っていた。ある時などは、父が荒れ狂いだしたので子供部屋にカギをかけてベッドの下に隠れていると、ドアをたたき壊して入ってきて引きずり出され、「二度と部屋にカギをかけたりしたら、殺してやるぞ！」とわめきながらベルトでめちゃくちゃに叩かれたという。

彼女の語った恐怖は、親の暴力にさらされているすべての子供たちの気持ちを代弁している。これらの子供たちは、ふだん何事もない時ですら、親の怒りはいつまた爆発するのだろうかという恐怖のなかで暮らしているのだ。そして親が怒り出した時に恐ろしさから逃れようと何かをすれば、それがさらに親の怒りに火に油を注ぐ結果となる。子供には隠れるところも逃げるところもない。

体罰は犯罪である

子供に暴力を振るう親は、職業、社会的地位、貧富の違い、教育の程度、などとは無関係に存在し、子供への暴力という犯罪行為は毎日のように至る所でくり返されている。

ところが、どの程度の暴力をもって「肉体的虐待」と呼ぶのかということについては、さまざまな意見の人たちがおり、これまでにもさんざん論争が行われているが、大きな混乱と誤解が生じている。すなわち、子供に対する体罰は親の権利であるばかりでなく、必要なことであると考えている人たちが、いまだにいるのである。

近年まで、子供は親の〝所有物〟であるかのように考えられ、親が子供をどう扱うかは親の勝手、すなわち自由裁量が許されるとされてきた。そして何世紀にもわたって、親が自分の子供にしていることは他人が口出しすべき筋合いのものではないと考えられてきた。そのため、〝しつけ〟の名のもとなら親が何をしようが——少なくとも殺さないかぎりは——その是非が問われることは、ほとんどなかったのである。

だが今日では、そのような基準を当てはめることはもちろんできない。子供の肉体的虐待の問題が広がり、またそれについての研究が進むとともに、一般の認識も増し、いまでは法的な規制が行われている。アメリカでは一九七四年に子供の虐待を防止するための連邦法が議会を通過し制定されたが、それによれば〝肉体的虐待〟とは「打撲、やけど、みみずばれ、切り傷、骨折、その他の肉体的傷害を引き起こす暴力行為」とされ、その行為には「蹴る、殴る、かみつく、たたく、刃物等で切る、縛る、その他」となっている。

だが、法律上の定義はともかく、問題は〝虐待〟という概念が現実にどのように認識され、適応されているかである。親に暴力を振るわれた結果、子供が骨折でもしていれば虐待は明らかだが、あざになった程度だったらどうなるのか。その程度のことでは、ほとんどの検察官は加害者の親を訴追するのに二の足を踏んでしまうだろう。

私は弁護士でも警察官でもないが、刑法で裁かれることのない体罰によって子供の心身がいかに傷つけられているかを二十年以上も見続けてきた。カウンセラーとしての私の考えでは、傷跡のあるなしにかかわらず、子供に強い肉体的苦痛を加える行為はすべて虐待である。

（訳注：本書が書かれたのは一九八九年であるが、現在のアメリカでは子供の虐待に関する取締りはさらに厳しくなっており、あざを残す程度の暴力でも起訴されれば親は虐待として有罪になる。また子供が激しく泣き叫んでいる声が聞こえるという通報があれば、警察はその家に踏み込んで子供を保護し親を逮捕できる。ちなみに、もし教師が児童や生徒を叩いたら、ケガの有無にかかわらず解雇である）

なぜ彼らは子供に暴力を振るうのか

子育てをしたことのある親なら、そのほとんどが一度や二度は子供を叩きたいという衝動にかられたことはあるに違いない。特に子供が泣きやまなかったり、わけのわからぬことを言ってダダをこねたり、反抗した時などには、そういう気持ちになることがあっても無理はない。だが、それは子供がそういう行動をしたからというより、その時の親自身の精神状態、例えば、疲れている、ストレスがたまっている、不安や心配事がある、または自分が幸福な人生を生きていない、などが原因であることのほうが多いのである。

多くの親は、子供を叩きたいという衝動が起きても抑えることができ、実際には行動に移さないでいることができる。だが不幸にして、それができない親も多いのである。それはなぜなのか。行動に出してしまう親と、出さないでいられる親の違いを決定づけるものは何か。確実なことはわからないが、子供に暴力を振るう親には共通したいくつかの特徴がある。

その第一は、まず自分の衝動をコントロールする能力が驚くほど欠如していることだ。そのために、自分の内部に怒りやフラストレーションなどの強いネガティブな感情が生じるたびに、それを子供に向けて爆発させてしまう。つまり、自分の行動が子供の心にどのような結果をもたらすかということについて、ほとんど自覚していないと言っていい。彼らの行動はストレスに対する反射的でほとんど自動的な反応に近く、衝動とそれに対する反応行動が直結してひとつになっているようなものだ。

第二に、彼らは自分自身も親から暴力を振るわれて育っているケースが非常に多く、そういう家庭では体罰があたりまえのことになっている傾向がある。大人になってからの彼らの行動のほとんどは、自分が子供のころに体験し学んだことのくり返しなのである。彼らが見ながら育ったモデルは、自分の親だったのだ。そして、自分の力ではうまく対処できない問題が起きた時、あるいは自分が対処しきれない感情、特に「怒り」が生じた時に、取ることのできる唯一の行動として学んだのが暴力だったのである。

第三に、子供に暴力を振るう親の多くは、子供の時から感情的に満たされず、大きなフラストレーションを抱えたまま成長して大人になっている。つまり、彼らは情緒面では子供のまま成長できていないのである。そのために彼らは自分の子供を、心を満たしてくれなかった親のかわりに満たしてくれる対象と見なしている。したがって、子供が自分の望むことを満たせないと激怒し、激しくくってかかる。だがその時、彼（彼女）が本当に激怒している相手はその子供ではなく、自分の親なのである。

そして第四に、これは必ずそうだということではないが、彼らはアルコールや薬物の依存症であることも多い。それが暴力を振るう衝動をコントロールできない唯一の原因ということではないが、要因のひとつになっている場合も多いのである。

暴力を振るう親も程度はさまざまだが、まれに最悪なケースとして、子供を単に残忍な虐待の対象物としてしか見ないところにまでなっている者がいる。これらの者は人間としての感情も感性もまったく持ち合わせておらず、人間の外見をした化け物とでも言うほかはない。こういう異常な親の行動にはいかなる論理も当てはまらず、常人の理解を超えている。

気まぐれな親の怒り

私がある大学院で開いたセミナーの受講者に、子供のころいつも父親に殴られていたという二十七歳の男性がいた。彼によれば、いちばん恐ろしいのは父がいつ怒りを爆発させるのかわからないことだったと言う。彼は子供時代のほとんどを、父の怒りを待ち受けながら過ごしていたが、それはまるで、いつ押し寄せてくるかわからないがひとたび来たら避けることはできないとわかっている津波を待ち受けているようなものだった。そのような生活は、彼の心に一生消えない恐怖心と孤独感を植え付けた。彼はまだ若いのに、すでに結婚に二回失敗していたが、それは子供のころに人を信頼することを学んだことがなかったからだった。

親から暴力を振るわれ、人間性を踏みにじられた子供が、親に対する信頼感と安心感を回復するのは容易なことではない。人間はだれでも、人は自分をどう扱うか、ひいては社会は自分をどう扱うか、という概念を、成長していく過程で親との関係をもとに形作っていく。それゆえ、もし親との関係が基本的に子供の安定した情緒をはぐくみ、人格を大切にするものであるなら、その子供は情緒的に安定した人間に育ち、世の中は基本的には自分を受け入れてくれる場所であるという感覚を持った人間になることができる。そしてそのようなポジティブな感覚を持つことにより、対人関係においても他人に心を開き、自分の弱点を外部にさらしても比較的平気でいられる人間になれるのである。

だがその反対に、子供時代に常に緊張と不安にさらされ、苦しみを強いられてきた人間は、成長するとともに、自分を防衛するために常に心身を硬くこわばらせた人間になっていく。それは精神的な鎧《よろい》をまとっているようなものだ。しかし、そうやって自分を守っているつもりでも、それは他人を近づかせないということであり、自分を牢獄《ろうごく》に閉じ込めているようなものなのである。

この大学院生は、何が父を怒らせるのかがいつもわからなかった。父にとっては、そんなことは子供がわかろうがわかるまいがどうでもいいことだったのだろう。だが、なかにはなぜ自分が暴力を振るうのか子供にわからせようとする親もいる。最初にあげた女性の父親がそうだった。彼女の父親はさんざん子供たちを叩いた後、気分が落ち着いてくると、くどくどと理由を説明しようとし、謝って理解を求めようとすることすらあった。たいていは母親との争いでストレスがたまっているのが原因ということだったが、子供にそんなことは理解できるわけがなかった。

子供がターゲットにされる理由は簡単だ。弱い存在だから逆襲することもできず、簡単に沈黙させることができるからである。だが残念ながら、子供を痛めつけることによって得ることのできるフラストレーションの解消は、一時的なものでしかない。そんなことをしても怒りの真の原因は変わらずに存在し続け、再び積もって増大していく運命にあるのである。その結果、子供はあいかわらずターゲットにされたまま親の怒りを吸収し続け、そのため子供に生じる内心の怒りは成長していくあいだもずっとたまっていく。

暴力の正当化

暴力を振るう親のもうひとつのパターンは、暴力を振るうことを他人のせいにするのではなく、「お前のためにこうするのだ」と正当化するものである。世の中には、いまだに体罰こそ子供の教育には欠かせない手段と信じている親がたくさんいる。宗教などでもいまだに体罰を認めているものがあるのには驚くほかはない。聖書ほど体罰を正当化するために悪用された本はない。

体罰を肯定する人間のなかには、子供というのは生来悪いことをするように生まれついていると信じている者がよくいる。だから悪くならないように厳しく叩いて矯正しないといけないというわけだ。「私もそうやって育てられたんだ。たまに叩かれたくらいではどうってことはない」とか「悪さをすれば（言うことを聞かなければ）どういうことになるのか、わからせなくてはいけないんだ」などがその言い分である。なかには「体罰は子供を強くするために必要な儀式であり、子供はそういう試練に耐えなくては強くなれない」と、体罰を正当化する親もいる。

だが近年の研究によれば、体罰によって実際に子供が特に強くたくましく育つということはなく、好ましくない行為をした時の罰としても役には立たないことが示されている。体罰は一時的に抑えつける効果があるだけで、子供の心には強い怒りや復讐心《ふくしゅうしん》、自己嫌悪、大人に対する不信感などを生じさせ、むしろ障害になるというのが事実なのだ。すなわち、そういった悪影響は、どのような一時的な効果をも帳消しにして余りあるのである。

父（母）の暴力をとめない母（父）

子供に対する親の暴力行為というドラマには、責任の少なくとも一部を問われなくてはならない人物がもうひとりいる。それは黙って傍観しているもうひとりのほうの親である。なぜかといえば、その親は、夫（妻）に対する恐怖心や依存心、家庭の現状を維持したいという願望、などの理由から、夫（妻）が自分の子供に振るう暴力を制止することができずにいるからだ。傍観しているということは、実質的に子供を見捨てているのと同じである。自分では手を下していないとはいえ、結果的には虐待の消極的協力者になっているわけである。

だが、虐待されている子供のほうでは、なぜその親が何もしてくれないのかと不審には思っても、傍観者の親を自分と同じ被害者のように感じていることが多い。その親は、ただおろおろすることで、自分の沈黙が夫（妻）の暴力に間接的に荷担しているという事実を否定することができるからである。一方、子供のほうは、沈黙している親をかばったり正当化したりすることで、自分の親が両方とも失格者であるという事実を否定することができる。

沈黙しているほうの親は、本来なら恐怖を振り払ってでも子供のために立ち上がり、子供を被害から守らなければならなかったはずだ。最悪な場合には警察を呼ぶことだってできるし、ほかにも方法はいろいろあるはずである。

なかには両親ともに暴力を振るうというひどいケースもあるが、多くの場合は片方が暴力を振るい、もう片方は傍観しているというのがほとんどである。暴力を振るうのは父親ばかりとはかぎらない。母親が暴力を振るい、父親は見て見ぬフリをしているという場合もある。どちらの親が暴力を振るうにせよパターンは同じで、子供は助けてくれないほうの親を自分と同じような被害者だと感じてしまうことが多い。時には夫が妻と子供の両方に暴力を振るう場合もあり、その場合、妻は被害者でもあるが、夫の子供に対する暴力については傍観者でいる責任をまぬがれているわけではない。だが多くの場合、子供はそういう母親を守ろうとさえする。これは明確な「役割の逆転」である。

つぎにあげる四十三歳の営業マンの場合、事情はもう少し複雑だ。彼は子供時代のほとんどを母親の暴力にさらされてきたが、手をこまねいて何もしなかった父親を崇拝すらしていた。

子供のころから繊細《せんさい》で、美術や音楽が好きだった。母はそんな私をいつも「女々しいやつ」と言ってバカにし、腹を立てると手近にあるものをつかんではそれで叩いた。そんな母をいつも恐れて、ほとんどの時間を押し入れに隠れて過ごしていたような気がする。なぜ自分がいつもぶたれるのかがわからなかった。きっと自分のやることなすことすべてが母を怒らせるのだろうと思っていた。子供時代のすべては母にかき消されてしまったような気分だ。

いつもひとりで泣いていると、父が来てなぐさめてくれた。母のかんしゃくと暴力についてはなすすべがないのだと父は言い、「可哀相に」といって抱きしめてくれた。そして、もし私がもっと努力すれば、状況はもう少しよくなるかもしれないと言うのだった。私はそういう父が大好きだった。父は家族のために一生懸命働いていたと思う。父はいつも一貫してあたたかい愛情を注いでくれていたといまでも信じている。

大人になってから、子供時代のことについて父に話そうとしたことは何度かあるが、そのたびに「もうすんだことだ」と言うだけだった。いまさら父を嫌な気分にさせることに、いったいどんな意味があるというのか。問題は母親にあったのであって、父ではない。

こうして彼は父を弁護し、問題への父の関与を否定した。それは、「父と過ごした愛情の通い合った時間」という、子供時代の唯一《ゆいいつ》の幸せな記憶をそのままにしておきたかったからである。だが、酷なようだが、真実を言うならば、彼は怯えた子供だった時になぐさめてくれる父にしがみついていたのと同じように、いまも怯えた大人としてその時の記憶にしがみついているだけなのである。暗い押し入れに隠れたまま外の現実を見ないでいるかぎり、彼は真実を正面から見据えることができるようにはなれないのだ。

彼は、暴力を振るった母親が、その後の自分の人生にどれほどの影響を及ぼしたかということについては理解できていたが、母の暴力をとめなかった父親に対してどれほどの怒りを心の奥に抑え込んできたかということについてはまったく自覚していなかった。「父は自分を守らなかった」という事実を、彼は何十年もかけて否定してきたわけである。しかも彼の父は、「もしお前がもっと努力すれば、母からぶたれないですむようになるかもしれない」と、自分の責任を回避する発言をした点で、単に何もしなかった以上の責任があると言える。

「自分が何か悪いことをしたのだ」と感じる子供

多くの人にとっては信じがたいことかもしれないが、言葉の暴力で痛めつけられた子供と同様、肉体的暴力で痛めつけられた子供もまた、親がそのようなことをするのは自分が何かいけないことをしたからなのだろうと感じている。こうして、自分を責める性格はやはり幼いころにその種を植え付けられてしまうわけだ。

小さな子供にとって、「親が間違っていて自分は間違っていない」と考えるのはとても難しいことだ。そこで子供は親のふたつの嘘を信じることになる。ひとつは、「自分は問題のある悪い子だ」ということ、そしてもうひとつは、「親がぶったのはそのためであり、親のほうに問題があったからではない」ということである。このふたつの嘘は、親から暴力を振るわれて育った子供の多くが、成人後もなかなか消すことのできない意識となって心のなかに残ることになる。

こうしてその子供はなかなか人の愛情を信じることができず、また「自分は悪い子」という自己嫌悪が消えない。そして大人になっても「人間関係がいつもうまくいかない」「自分に確信が持てない」「自分はダメな人間」「不安や恐れが強い」「行動力がない」「特に理由がないのにいつも腹が立っているような気分がする」「自分は幸せにはなれないに違いないと思う」などの問題を抱えるようになる。

子供が成長して体が大きくなってくるに従い、いつかは親の暴力も止む時がくる。だが、精神的な虐待は大人になってもなくなることはない。

「虐待」と「愛情」の不思議な結びつき

暴力を振るう親に育てられた子供は、時おり、苦しみと喜びが結びついた異様な状態にさらされることがある。先に例にあげた大学院生はこう語っている。

父は機嫌がいい時には面白い人間になったり、たまには優しくなることさえあった。ある時などスキー大会に参加させてくれて、その練習のために十時間も車を運転してスキー場まで連れていってくれたこともあった。その帰り道には「お前は大切な息子だ」と言ってくれた。いまでもその時の光景を必死で思い出そうとすることがよくある。

暴力を振るうからといって、いつも恐ろしい親というわけではないところが、さらに子供を混乱させ、親についての真実をはっきり見つめることをますます難しくする。愛情を見せるような態度を示したかと思うとひどく扱うという親のもとでは、非常に強力で倒錯した親子関係が生じる。子供の世界は非常に小さく、どんなにひどい親でも、それが愛と安心を与えてくれる存在のすべてである。痛めつけられた子供は、そんな親のなかにも〝親の愛〟を見いだそうとして子供時代を送り、その心理状態は大人になっても消えることがない。

家の秘密を守ろうとする子供

彼の例でもよく示されているように、暴力を振るう親でも時おり見せる優しさのため、子供は親の愛情を追い求める気持ちを持ち続け、しだいに「すべてが良いほうに変わってくれたら」と思うようになる。このはかない希望が消えていないと、大人になっても親の暴力について人に語ろうとしないことがよくある。子供というのは、普通はだれでも本能的に〝いい子〟でありたいと思うものである。〝いい子〟は家の秘密をしゃべったりしないのだ。だが、そのために、〝家の秘密〟はさらに重く背中にのしかかる。けれども、秘密を語ろうとしないことは、かえって外部からの助けを断つことになってしまうのである。苦しみというのは、人に言うことができないとますますひどくなるものなのだ。

親に対する怒りをぶちまけたい衝動にかられることはあっても、実行はできないということになると、ネガティブな感情はそのまま鬱積していく以外にない。一方、家の外では人に対して口をつぐんでいるので、自分を偽善者のように感じるようになる。高校生くらいになると本人も家の異常さを認識するようになるが、友人達に対してはそのことについて堅く口をつぐみ、むしろ自分の家は立派な家庭であるかのように振る舞っていることが多い。

心の十字路

身体的な暴力であろうが言葉の暴力であろうが、親に痛めつけられて育った子供は、煮え立つような怒りを内面に抱えている。殴られ、侮辱され、脅され、けなされ、抑えつけられ、そのうえ自分の苦しみは自分のせいだと言われ、それでも怒りを感じない者はいない。だが子供はその怒りの正当性をはっきりと自覚することができず、また怒りを表にあらわす方法を知らない。大人になってから抑えられた怒りがほとばしり出るようになるのも不思議ではない。

ある時、十歳になる息子を折檻《せっかん》して逮捕され、裁判所から私のところに送られてきた女性がいた。彼女は四十一歳の主婦で、自分の行動を恥じ、進んで熱心にセラピーを受け入れた。

それ以前にも子供の顔を平手で叩いたことはよくあったが、その時は逆上して我を忘れ、めちゃくちゃにやってしまった。昔から、子供ができたら自分の親みたいな真似だけはしまいと自分に言い聞かせていたのに……。腹が立つと、どうしても自分がコントロールできなくなってしまい、知らないあいだに自分の母親みたいになってしまうのだ。子供のころには父母の両方から体罰を加えられていたが、特に母親はひどい暴力を振るった。

彼女は若いころから、人に対して衝動的に攻撃的になることがよくあった。高校時代は問題児で、停学をくらったことも何度かあった。大人になってからも、身の周りには常にごたごたが絶えなかったという。

彼女の場合は、内面の怒りが幼い息子に向けられたわけだが、抑えつけられた怒りは違う形であらわれることもある。極端な例ではさまざまな種類の暴力犯罪となってあらわれることもあり、例えば男の場合なら妻子に対する暴力から婦女暴行に至るまでさまざまであるし、男女を問わず暴力は殺人にまで及ぶこともある。全国の刑務所は、子供時代に親から暴力を振るわれて育ち、内面にたまった怒りを適切な形で表現する方法を教えられなかった人間たちでいっぱいだ。

一方、怒りを自分自身の内面に向けた場合には、体の反応となってあらわれる。慢性的な頭痛、いつも体がだるい、いつも胃腸の調子が悪い、胃潰瘍、うつ病などがよくあるパターンである。本人は爆発しそうな〝何か〟を内面に抱えていることはわかっていても、その〝何か〟が何なのかがわからない。

「この親にしてこの子あり」は正しいか

ごくたまのことだが、親によって痛めつけられた子供が、自分を傷つけた親の性格を無意識のうちに真似るようになることがある。つまるところ、小さな子供から見ればその親はたいそう強く、怖いもの知らずのように見えるわけだ。子供が自分もそのようになりたいと思っても無理はないかもしれない。そしてその子供は自分を外界から守るために、自分がもっとも嫌っているはずの親の性格を無意識のうちに真似し、それが身についてしまうのである。「親のような人間には絶対になるものか」といつも自分に言い聞かせているにもかかわらず、ストレスにさらされるとまさに親とまったく同じような行動をとってしまうというわけである。だが、こういうケースはそれほど多いわけではない。

これまで長いあいだ、親に暴力を振るわれて育った子供はそのほとんどが自分も子供に暴力を振るう親になると一般に信じられてきたが、近年の調査によると、多くの場合そのようなことはなく、それどころか体罰はおろか普通に叱ることもろくにできないケースすらあることがわかってきた。彼らは自分が親からされたことへの反動で、子供をしつけることができないのである。そうなってしまうのも、子供の成長にとってけっして良いこととは言えない。

第七章　性的な行為をする親

近親者から性的な行為をされるということは、おそらく子供にとってもっとも残酷で理解しがたい体験であろう。まして、そのようなことをしたのが親だったとしたら、その行為は子供のもっとも基本的な信頼に対する裏切りであり、将来にわたってその子供の情緒に取り返しのつかない結果を招く。生活のすべてを依存している親がその加害者だったとしたら、子供には言いつける相手も逃げる場所もない。保護者のはずの親は迫害者となり、子供は汚れた秘密の牢獄に閉じ込められてしまう。近親者による性的な行為は、子供のもっとも大切なこと、すなわち「けがれのない無邪気さ」を奪ってしまうのである。

本書の第五章と第六章では、心身への暴力という、「毒になる親」のもっとも暗い部分について考察してきた。そして、言葉による暴力や肉体的な暴力を行使する親は、子供に対する深い思いやりと感情移入の能力が極度に欠落しているという実例を見てきた。彼らは口汚いののしりの言葉や肉体的な暴力を子供に降り注ぎ、それでもなお、虐待の事実を「しつけ」だとか「教育」だという理屈をつけてすりかえ正当化してきた。だが、この章で扱う「毒になる親」に至っては、あまりに倒錯しているのでそのような正当化の余地すらない。

彼らには、厳密な意味での心理学理論はもはや無用である。子供に対する性的な行為は、人間が行ってはならない「悪」である。

"近親相姦"とはどういうことか

"近親相姦"の定義については刑法と心理学で大きなへだたりがあり、一口で厳密に述べるのは難しい。刑法上の解釈はきわめて幅がせまく、通常は近親者による性交を近親相姦と定めているだけである。その結果、自分が近親相姦の被害者であることを自覚していない人は、世の中に何百万人もいるに違いない。

心理学的な観点から見れば、近親相姦の定義はもっとずっと幅広い範囲を含み、子供の口、胸、性器、肛門などにかぎらず、どのような体の部位であろうが、近親者が自分の性的な興奮を目的として触れる行為はすべて近親相姦である。また、それは血縁者によるものばかりとはかぎらない。継父母、義父母など、血はつながっていなくても、子供から見て家族のメンバーと感じられる人間であれば、すべて同じことである。

さらに加えるなら、子供の体に直接触れなくても、近親者が自分の性器を露出して見せたり、それに自分で触れてみせる、または子供の性的な写真をとる、などの行為をした場合でも、それは「近親相姦的行為」である。

もうひとつ重大なポイントは、それは「秘密にしておかなくてはならない行為」だということだ。父親が愛情いっぱいに娘を抱きしめてキスしたからといって、それを秘密にしなくてはいけない理由はひとつもない。それどころか、そのようなスキンシップは子供の情緒が健康に育つためには必要なことである。その父親の行為は、愛情のかよった親子の健全な関係を示しているにすぎない。

ところがもし、このとき父親が子供の性器に意図的に触れたり、あるいは子供に自分の性器を触れさせたとしたらどうなるだろうか。二人ともそのことは絶対に秘密にしておかなくてはならないだろう。ここに大きな違いがあるのである。

このほかにも、「心理的な性的行為」はいろいろある。実際に体に触れなくても、子供が服を着替えているところや風呂に入っているところをのぞいたり、子供に対して誘惑するようなことを言ったり、くり返しみだらな言葉をかけるなどがそれである。これらの行為は文字どおりに解釈すれば近親相姦には相当しないが、被害者の子供は心理的に似たような苦痛を受ける。

近親相姦に関する誤解

だいぶ前のことだが、私は近親相姦についての社会の認識を高めようと発言をはじめた時、あちこちでたくさんの抵抗に出会った。おそらくその理由は、世の人々は〝近親相姦〟などという嫌悪をもよおさせることはその言葉すら聞きたくなく、そのようなことが存在することすら認めたくないという気持ちがあったためだろうと思われる。だがこの十年間、圧倒的な証拠の量という現実の前に、そのような「事実の否定」は力を失い、現在のアメリカではそのことについて大っぴらに議論を交わすことが――それでもなお居心地は悪いとしても――できるようになった。

そうは言っても、いまだに誤解はたくさんある。そしてそれらの誤解の多くは、一般には長いあいだ真実として信じられてきた。だがそれらの誤解は真実ではないし、過去においても真実であったことは一度もない。では、どのようなことが〝誤解〟なのか、以下にいくつか列記してみよう。

〈誤解1〉近親相姦などというものはめったになく、まれなことだ。

〈真実〉米国保健福祉省を含む、あらゆる信頼のおける機関によるデータによれば、すべてのアメリカ人の子供の十人にひとりは、十八歳になるまでに家族のメンバーから性的ないたずらをされている。近親者による子供への性的な行為がこれほどまでに多いことは、一九八〇年代はじめになるまでは認識されていなかったことである。それ以前は、そのようなことはあったとしても十万家庭に一件くらいのものだろうと思われていた。

〈誤解2〉近親相姦などというものは、貧困家庭や教育のない人々のあいだで、あるいは都

会から遠く離れた過疎地で起こることである。

（真実）事実はそうではない。職業、社会的地位、収入のレベル、地域などにかかわりなく、全国どこでも起きている。

（誤解3）そういうことをする人間は、社会的にも性的にも逸脱した変質者である。

（真実）事実はそうではない。社会一般のどんな人たちでも加害者になり得る。実際、彼らの多くは仕事熱心で真面目で信仰心もある、一見普通の男や女たちである。私は個人的にも、警察官、学校教師、大企業のトップ、上流階級の既婚婦人、レンガ職人、医師、牧師、などさまざまな職種の人たちが加害者となったケースを見ている。彼らにある共通の特徴や傾向は、職業や社会的地位や人種などではなく、心理学的な性向である。

（誤解4）性的に満たされない生活を送っている人間がそういうことをする。

（真実）加害者の多くは既婚者で通常の性生活を送っており、なかには浮気までするほど活発な者もいる。彼らが子供に対して性的な行為をする直接の理由は、自分の支配欲を満足させるため、または、子供しか与えることのできない「疑うことを知らない純粋な愛情」を求めてのことである。それが結果的に性的な満足を得たいという欲求に進むことはあっても、そもそもの動機がはじめから性欲であることはまれである。

（誤解5）特に十代の少女は大人の男性を誘惑するようなそぶりを見せることがよくあり、少なくともいたずらなどをされる責任の一部は本人にもある。

（真実）多くの子供は、家族など強い結びつきのある大人に対して、性的なフィーリングや衝動を無邪気に、そして模索するように表現することがある。それは基本的には幼い女の子が父親に媚《こ》びを売ったり、男の子が母親に甘えたりするのと同じようなことだ。十代の少女のなかには、あからさまに大人の男性を挑発する者もいることは確かだが、そういう場合でも適切な態度で対応することは百パーセント大人の側の責任である。まして家庭内ならなおさらのことだ。

（誤解6）ほとんどの近親相姦の話は子供の性的な願望が作り出した空想や白昼夢で、作り話だ。

（真実）この誤解は二十世紀はじめにフロイトによって作り出されたもので、それが心理学者のあいだに広められたのがはじまりだ。フロイトはウィーンで精神分析の研究をしていた時、信頼のおける中流家庭の娘たちからあまりにも多くの近親相姦のリポートが寄せられたため、すべてが本当の話とはとても考えられないと結論してしまい、それらの多くは空想の産物だと断定してしまったのである。フロイトの犯したこの誤りのため、勇気を奮い起こして心理学的治療を受けにきた何百万人もの被害者が事実を認めてもらえず、必要なサポートを受けられないまま放置されてきたのである。

（誤解7）子供がいたずらされるのはほとんどが見知らぬ相手からであって、家族などよく知っている人からそのようなことをされることはあまりない。

（真実）子供に対する性犯罪の大多数は、家族のメンバーによって起こされている。

一見〝素晴らしい〟一家に、なぜそのようなことが起きるのか

暴力を振るう親のいる多くの家と同じように、近親相姦（的行為）のあるほとんどの家庭は、外部の人間からはノーマルな家庭のように思われている。加害者である親が地元では顔役だったり、熱心に宗教活動をしていたりして、立派な人と評判であることもめずらしくはない。

どのような家庭にそのようなことが起きるのか、当事者以外の家族のメンバーはどのような役割を演じているのか、などということについてはさまざまな議論がなされているが、カウンセラーとしての私の経験では、そこには常に存在するひとつの要素がある。それは、事件が起こりやすい家には、人と心を通わせようとしない、とかくなんでも隠したがる、依存心が強い、ストレスが高い、人間の尊厳を尊重しない、家族のメンバー同士がお互いに自分

の正直な気持ちを語り合うことがない、大人が自分の情緒不安を鎮めるために子供を利用する傾向がある、などの特徴があるということだ。その反対に、開放的であたたかく、お互いのコミュニケーションをとることが好きな家では、そのような事件は起きない。

いろいろな意味で、近親相姦（的行為）は完全な家庭崩壊の一部分を成すものと考えられる。だがそれは百パーセント加害者側の責任であり、被害者の子供に家庭崩壊の責任はない。

強要のさまざまな形

そもそも、親子関係にはたくさんの心理的強要がある。それゆえ、子供に対して性的な行為をしようとする親は、無理やり力ずくで行動する必要はないのである。だがそのために、被害者の子供は自分が受けている被害の重大さを過小評価してしまうことが多い。それは、心理的な暴力は肉体的暴力と同じように人間性を破壊するということを知らないためである。子供というのは生まれつき愛情があり、人の言葉を信じやすいので、自分の情緒不安を自分以外のもので埋めようとする大人の格好のターゲットになりやすい。そのような子供の無防備さこそ、加害者の大人がつけ込むことのできる唯一の点なのである。

もちろん、なかには危害を加えるといって脅したり、力ずくで強要する者もいる。また、子供の口を封じるために脅迫を加えることはよくある。そのような脅しは、けがれを知らない子供の無垢《むく》な心を餌食《えじき》にゆすりをかけているようなものだ。

ところで、一般に思われているのとは異なり、近親相姦（的行為）の被害者が親の〝お気に入りの〟子供であるということはめったにない。まれに、見返りに小遣いやプレゼントをもらったり、何か特別なことをしてもらうということもあるが、ほとんどの場合、子供は心理的または肉体的に強要されている。

なぜ子供は黙っているのか

近親相姦（的行為）の被害者の子供の九十パーセントは、何が起きたのか（または現在何が起きているか）ということについて人に語ろうとしない。その理由には、自分が傷つくことを恐れているということもあるが、親が困ったことになって家庭が崩壊してしまうことを非常に恐れるからである。親からそのような行為をされるのはいくら恐ろしいことだとしても、自分がしゃべったらそれが原因で家のなかがめちゃめちゃになってしまうと思うと、もっと恐ろしいのである。どんなにひどい家であっても、家が平和であることはほとんどの子供にとって驚くほど大切なことなのだ。

まれに親の行為が露見《ろけん》することがあるが、そうなった場合には、その家庭はほぼ間違いなく崩壊する。離婚や裁判所の命令などにより子供が家族から引き離されて親戚にあずけられたり、世間から好奇と蔑《さげす》みの目で見られたりということが起き、その後も家族がそれまでと同じようにやっていけることはまずない。そのような親とは一緒に暮らさないことが子供にとってはいちばんよいことだとしても、それでもなお、子供は例外なく一家の離散は自分に責任があるように感じるものだ。この後ろめたい気持ちは、事件そのものによってすでに耐えられないほどの心理的重荷を背負わされている子供の上にさらに加わるのである。

子供が黙っているもうひとつの理由として、たとえそのことを人に言っても、どうせ人は大人の言うことを信じて、自分の言うことは相手にされないだろうと感じているためであることがある。たとえ親がアル中であろうが、いつも失業していようが、暴力的な人間であろうが、世の人は子供の言うことより大人のほうが信用できるとつい考えてしまう傾向があるのである。ましてその親がちゃんと仕事をしていたり、社会的に認められる地位がある場合には、子供の言うことなどまったく聞いてもらえなくても不思議はない。

もっとも悲惨なのは、父親からそのようなことをされた息子のケースだ。この場合、子供には羞恥《しゅうち》と屈辱、無力感、などに加えて、「だれも信じまい」という気持ちはさらに強くなる。まさかと思う方も多いだろうが、こういうケースは一般人が想像するよりも多い。このような父親は、普通の結婚生活を送っているように見えていても、もともと強い同性愛の衝動があったものと考えられる。そしておそらく、そういう衝動があることについて人にも自分にも正直に認めず、欲求を抑え込んだまま結婚し、子供を作り親となったのである。押し込まれた欲求は、はけ口がないまま増大していき、思わず行動に出てしまったというわけだ。だが、そんな親でも、子供に対しては絶対的な権力を持ち、外の世界では人の信用を勝ち得ている。被害者の子供は無力感に襲われるだけである。

不潔感に悩む子供

近親相姦（的行為）の被害者の子供は、他のケースでは見られない独特な羞恥心に悩む。ごく幼い子供ですら、自分の身に起きたことは秘密にしておかなくてはならない恥ずべきことだと知っているからである。「黙っていろ」と言われなくても、子供は加害者の行動の仕方や態度からそのことを感じ取る。自分が何かよくないことをされ、人権を蹂躙《じゅうりん》されたということは、性についてなどまだ何も知らない小さな子供でも感じ取り、不潔感を感じるのだ。

残酷な言葉や暴力で傷つけられて人格を踏みにじられた子供と同じように、近親相姦（的行為）の被害にあった子供も、罪悪感を「内面化」する。だが、ひとつだけ違う点は、そこに羞恥心が加わることによって問題が複雑になっているということだ。そして「自分は悪いことをした」と思う気持ちはほかのどのような場合よりも強くなり、これが自己嫌悪と羞恥心をさらに強める結果となる。こうして近親相姦（的行為）の被害にあった子供は、自分の身に起きた出来事に対していつも気を張っていなくてはならないことに加え、事件が発覚して〝不潔な子〟として外部の人間の目にさらされることを強く恐れるようになる。

被害者なのになぜ罪悪感を抱かなくてはならないのか、と部外者は理解に苦しむかもしれない。だが子供というのは、どんなことをされたとしても、自分の親が悪人であるとはなかなか考えることはできないものなのだ。その行為が、いかに恥ずかしくて屈辱的な、または恐ろしいことでも、親が子供に悪いことをするはずがない。そうだとすれば、自分がいけないのに違いない、ということになるのである。

「体に感じる不潔感」「いけないことをしているという意識」「自分のせいという意識」、この三つの意識のため、被害者の子供は事実をだれにも言うことができず、極度に孤立していく。家のなかでも外でも、完全にひとりぼっちなのだ。自分の身に起きていることなどだれも信じないだろうと思いつつ、しかし秘密が知られることを恐れて友達を作ろうとしないこともしばしばである。だが一方では、この孤立のためにかえって家で加害者の親と一緒にいることが多くなってしまう。それがどんなに異常な親だとしても、他に身を置くところはないからである。

そして、もうひとつ重要なことがある。もし被害者の子供がいくらかでも肉体的な快感を感じていたとすると、その子供の羞恥と不潔感は倍増してしまうということである。子供の時に被害にあっていた人のなかには、それがいかに忌まわしい事件であったとしても、その時には性的な高まりを覚えたという証言をする人もいる。そういう場合には、被害者は成長した後も「自分は被害者であり事件の責任はない」と声を大きくして発言することはさらに難しくなる。

ある女性は、そのようなことをする父親がいかに許しがたいかとは思っても、オーガズムを感じた自分も親と同じように罪深いと感じていた。私は彼女にこう説明した。

刺激に対して体が快感を感じるのは、ひとつもいけないことではない。人間の体は、生理学的にそのようにできているのである。その時にいい気持ちがしたからといって、そのようなことをした親に罪がないということにはならないし、快感を感じたあなたに罪があるということにもならない。あなたがどのように感じようが感じまいが、あなたは被害者であり、あなたにそのような行為をした責任のすべては、大人である親のほうにある。

さらに、父親と娘の関係の場合、多くの被害者にはもうひとつ別の独特な罪悪感が生じる。娘には「私は母から父を奪っている」という意識が生じるということだ。その場合、しばしば娘は母親に対抗する存在としての〝女〟を意識することがあり、そうなると、もちろん母親に秘密を打ち明けて助けを求めることは非常に困難である。その娘は母を裏切っているという意識のためにさらに罪悪感を深めてしまう。

押しやられる記憶

被害を受けたのがまだごく幼いころだった場合、被害者の子供がトラウマから身を守る唯一の方法は、その出来事を記憶の奥に押しやり、意識のなかから消してしまうことだ。それは無意識のうちに行われるので、その記憶はそのまま永久によみがえらないこともある。また、たとえよみがえったとしても何年も後になってからのことであり、何かのきっかけで思いがけない時に突然思い出すというケースが多い。私がカウンセリングした人たちの例では、結婚、子供の誕生、家族の死、新聞やテレビなどで近親相姦の事件の報道を目にした時などがきっかけとなっている。なかには、その時の体験を夢で見て思い出したというケースもあった。ほかのことで心理セラピーを受けている間にその時の記憶がよみがえるということもある。もっとも、そういう場合でも、セラピストのほうから指摘されないかぎり、自分から話しだすということはあまりない。

私はカウンセラーとして劇的な体験をしたことが何回かあるが、そのひとつがある四十六歳になる女性をカウンセリングしていた時のことだ。彼女は博士号を持つ生化学者で、大きな研究所に勤めていたのだが、私のラジオ番組で、家族から性的な行為を受けた子供が成長してから示す症状について討論しているのを聞いて、私に会いに来たのだった。彼女は八歳の時に、六歳年上の兄にレイプされ、それ以来十五歳になるまで関係を強いられていた。私に会いに来た時、彼女は、ほとんど神経症の発作を起こす寸前だった。その体験については当時から両親にすら何も話さなかったという。父は弁護士で、家族とともに時間を過ごすことはほとんどなく、母は薬物中毒だった。二人とも子供たちをかまってくれることなどまったくない家庭だった。

それから数ヵ月の間、彼女は一生懸命セラピーに通ってきた。そして精神状態が少し安定してきたと思われたころ、突然、忘れていたとんでもない記憶がよみがえった。なんと彼女は、母親からも性的な行為をされたことがあったというのである。

母と娘の性的な関係について語る人はほとんどいないが、私は十数人をカウンセリングした経験がある。加害者となった母親の動機は、優しさや皮膚感覚、愛情などを求める欲求が、非常にグロテスクな形に歪められたもののようだ。正常な母性愛を逸脱したこのような行為ができるのは一種の精神障害と考えられ、実際に精神病であることもしばしばある。

彼女が神経症の発作を起こす寸前にまでなっていたのは、忌まわしい記憶をなんとかして心の奥に抑え込もうとしていたためだ。だが、心の回復のためには、その記憶が大きな苦しみをもたらすものであればあるほど、抑え込もうとせず意識のうえに出してやらなければならない。

嘘の生活の代償

被害者の子供の多くは、事実を隠し演技する技術を幼いころから身につけている。彼らの心の奥は、恐れ、心の混乱、悲しみ、孤独、孤立感、などでいっぱいであり、そのように計り知れない大きなものを内部に抱えたまま外部の世界と普通に接するためには、本当の自分ではない嘘の自分を作り上げ、それを使って接するしかないからだ。

それは時として二重人格的な人間になることを意味する。概して外で友人などと一緒の時は社交的で快活に振る舞っているが、家に帰ったとたんに別人のように無口になり、ひとりだけの世界に入ってしまう。そして、家族そろって出かけたり、家族と一緒に外部の人たちと時間を過ごすことを極度に嫌がる。なぜなら、外部の人たちに対してノーマルでまともな家族のように演技することは死ぬほど苦痛だからだ。そのため、時として非常に強い無力感に襲われ、自分にはもうエネルギーが残っていないような気分になることがある。

だが、家族と一緒でない時には陽気な人間のように振る舞うこともでき、それで友人たちから受け入れられていると感じて一応の充実感を得ることができる。とはいえ、内面にある本当の自分は大きな苦痛のなかに生きているので、本当の喜びというものはなかなか感じることができない。それが、嘘の人生を生きていることによって支払っている代償なのである。

何も言わないもう片方の親

加害者と被害者がともに口を閉ざし、何事もないかのような演技をしているとしても、もう片方の親はどうしているのだろうか？　私は以前、子供時代に父親から性的な行為をされていた女性をはじめてカウンセリングしはじめたころ、被害者の多くは加害者の父親に対するよりむしろ母親のほうに強い怒りを抱いていることに気がついた。被害者の多くの女性は、「父のしていたことを母は知っていたのだろうか」という、しばしば答えを知り得ない問いを自問し、自らを苦しめていたのである。彼女らの多くは、時として父は母の目をほとんど気遣うことなく行動したと述べており、母は知っていたに違いないと確信していた。また、そこまでは考えないという被害者も、娘の態度や行動が変わったことに母はなぜ気づかなかったのだろうか、と感じていた。何かが起きているに違いないということはわかりそうなものだし、もっと注意を払うことはできたはずだ、というのである。

だが結論から先に言えば、必ずしも母親は気づいていたのに知らぬフリをしていたとはかぎらない。本当に知らなかった、知っていたかもしれない、はっきり知っていた、の三つの可能性がある。知らなかったはずがないという意見もあるが、本当に知らなかったということもあり得るのである。

「知っていたかもしれない」というケースでは、その母は、何かがおかしいとは思っても「恐ろしそうなことは見たくない」とばかりに目の前にカーテンを下ろし、何も見ない道を選んだのである。だが、「見ないこと」によって自分と家の平穏を守ろうとするのは、見当違いな努力である。

そして最後の、「はっきり知っていた」ケースは、もっとも非難されるべきものだ。特に子供が事実について母に語ったにもかかわらず、その母が何もしなかった場合、子供は二重に裏切られることになるのである。母親が「事実の否定」をして守ってくれなかった場合は、子供の受けるダメージは計り知れない。

近親相姦(的行為)の残すもの

子供の時に大人からいたずらなどの性的な行為をされた人間は、例外なく「自分に自信がない」「自分に価値を見いだせない」「自己邪悪視」などのネガティブな感覚を引きずって成長する。その加害者が親だった場合、子供は特に「ぬぐいがたい不潔感」「自分は〝そこなわれた人間〟という感じ」「自分は〝他の子供たちとは違う〟という感じ」の三つの悲劇的な感覚を抱えている。

親によるこのような行為が子供の心に及ぼす害毒は、放っておけばどんどん増殖していき、それはちょうど心理学的なガンのようなものだ。それゆえ、被害者が正常な自己を回復するためには、心理学的な治療がどうしても必要となってくるが、それはかなりつらいプロセスとなる。だが、もし心理学的治療をしないまま放っておけば、大人になってから心の問題が、人間関係、特に異性関係がうまくいかないというはっきりとした形であらわれてくる。

大人になった被害者に起こる問題は、つぎのようなものが代表的である。

1. 愛情に満ちた人間関係とはどんなものかよくわからない

大人になってから異性との愛情関係がうまくいかなくなるのは、子供の時の体験が不健康で歪《ゆが》んだものだったためである。それは裏切り行為であるうえ、親のニーズを満たすために利用されたものだったことから、異性愛と虐待が深層心理で複雑にからみ合ってしまっているのである。そのため、被害者は成長後、歪んだ異性愛を実現するような相手ばかり選んでしまう。そして、お互いを大切にし、尊重しあえるような健康的な愛情関係には馴染《なじ》めず、かえって不自然に感じてしまう。それは自分に対して健康的な自己像を持つことができなくなっているためである。

また、運良く心から愛し合えるパートナーと出会うことができても、過去のトラウマは二人の関係に暗い影を落とし、特に性生活の面で問題を生じることが多い。

2. 健全な性的関係がうまく持てない

子供の時に被害にあっていた女性は、大人になって結婚してもセックスを嫌悪することが多く、それが原因で結婚生活が危機に陥るのもまれではない。それは、子供の時に体験した不潔感や嫌悪感、罪悪感などが心の奥にこびり付いており、ぬぐい去ることができないからである。セックスをするたびにその時の光景が頭のなかではっきりよみがえると証言している被害者も多くいる。彼女たちは愛する人とむつまじい関係を築こうと努力はするのだが、そのたびに過去のトラウマの記憶がよみがえってしまうことをどうしても止めることができないのである。そのため、自分に対するネガティブな気持ちが頭をもたげ、心から相手を愛そうとする努力はいつも途中で挫折《ざせつ》してしまう。

それと反対に、セックスに対してすてばちな意識を持つようになる場合もある。だが、わずかばかりの愛情を得るためにたとえ何百人の男と寝たところで、心の奥からセックスに対する嫌悪感が消えることはない。

被害者のなかには活発な性生活を送り、正常なオーガズムを感じることができる女性も多くいるが、その後になって後ろめたい気がしたり、うつ状態になることはまれではない。私がカウンセリングしたある女性は、ボーイフレンドと奔放《ほんぽう》な性生活を送っていたが、セックスの後では必ずうつ状態に落ち込み、体に触れられることすらいやだと感じることもあり、自殺したいと思うこともあると語っている。彼女は、セックスによっていくら肉体的な快楽を得ても、心の奥には依然として自己嫌悪や罪悪感があり、心から愛情と快感に満たされることがなかったのである。その結果、表面的な快楽を得たことに対する〝自己処罰本能〟が働く。自殺したいなどと考えるのは、そのあらわれである。

3. 自己を処罰する

第六章では、親から暴力を振るわれて育った子供が抑圧した怒りを自分自身や他人に向けるいきさつについて述べたが、子供のころに近親相姦（的行為）の被害にあっていた人にも同じようなパターンが見られる。抑え込まれた怒りと行き場のない深い悲しみが噴出する時の形はさまざまだ。

まず、もっとも多いのがうつ病で、通常の「悲しみ」のような軽い症状から、ほとんど体を動かせなくなるほど重い症状を示す場合もある。

つぎに、特に女性によく見られるのが肥満と拒食である。それは無意識のうちに異性を遠ざけようとしているという側面があるという人もいる。

もうひとつよくあるのが、慢性的な頭痛である。こういう頭痛は、抑え込まれた怒りと不安感が肉体的にあらわれたというだけでなく、自己処罰の一種なのである。

また、被害者の多くはアルコールや薬物の中毒になる傾向が強い。そうなることによって感覚を麻痺《まひ》させ、生きている意味がわからない自分とその空しさを一時的に忘れようとするのである。だがそれでは本当の問題に直面することを先に延ばしているにすぎない。その結果は、苦しみを長引かせるばかりである。

このほかにも被害者の多くはさまざまな形で自己処罰を行っている。愛する人との関係を自らだめにしてしまう、やれる仕事なのにつぶしてしまう、などの自己破壊的行為がそれである。なかには暴力を振るって事件を起こす者もいる。刑事事件を起こすのも、社会から処罰してもらうための自己破壊行為のひとつなのだと考える人もいる。売春をしてトラブルに巻き込まれるのも同様である。

空しい希望

多くの被害者の持つ驚くべき矛盾点は、これほど苦痛に満ちた人生を生きているのに、加害者である「毒になる親」との密接な関係を断ち切ろうとしないことだ。彼（彼女）らの苦しみは、まさにその親のおかげでこうむっているというのに、その苦しみをなんとか軽減しようとしてその親にまた近づく。大人になった被害者が「幸せな一家」の幻想を断ち切るのは、それほど困難なことなのだ。

「親の愛と承認」を得るための、終わりのない〝はかない彷徨《ほうこう》〟こそ、虐待を受けた子供がへたをすると無意識のうちに一生追い求めてしまう「虐待の遺産」なのである。この彷徨はまるで流砂のように被害者を実現不可能な夢にはまりこませ、自分の人生を自分自身のために歩むことを阻《はば》んでしまう。

私がカウンセリングした被害者はたいてい一家のなかでもっとも健康的な人間だと言うと、多くの人はみな一様に驚いた顔をする。なぜなら、被害者は普通、「自己嫌悪」「うつ病」「自己破壊的行動」「セックスに関する諸問題」「自殺企図」「アルコールや薬物の依存症」など、心の不健康さを物語る症状をたくさん見せ、一方で家族の他のメンバーはみな普通の人と変わらないように見えることが多いからだ。

だが、真実をいちばんはっきりと見ているのは、被害者である。彼（彼女）らは心が不健康なのではなく、家庭内の狂気とストレスを秘密にしておくために無理やり抑圧され、犠牲にされてきただけなのだ。そして「まともな一家」の仮面を守るために、計り知れない苦しみとともに生きることを強いられてきたのだ。その苦しみがあるからこそ、彼（彼女）らは外部の人間に助けを求めているのだ。一方、親のほうはほとんどと言っていいくらい、例外なく「事実の否定」をかたくなに続け、自己防衛をやめようとしない。

だが、正しい心理学的治療を受ければ、そのような被害者も自分が本来持っている力と人間としての尊厳を取り戻すことができる。自分の抱える問題を正しく理解し、助けを求めることは、心が健康であるばかりでなく勇気があることを示している証拠にほかならないのである。

第八章　「毒になる親」はなぜこのような行動をするのか

人間はみな、生まれ落ちた直後から「家族」と呼ばれるるつぼのなかに入れられて育ち、人間としての形を作られていく。最近の研究によると、「家族」というのは単に血縁者が集まっただけのものではなく、ひとつの〝システム〟であることがわかってきた。どういうシステムかというと、「一人ひとりのメンバーが複雑に結びつき、それぞれがお互いに根本的な、しかし表面的にはよくわからない影響を及ぼしあう集まり」というものだ。すなわちこの集まりは、愛情、嫉妬《しっと》、誇り、不安、喜び、罪悪感、など人間の持つさまざまな感情が、最大の振幅をもって潮のように満ちたり引いたりする、複雑なネットワークなのである。

これらの感情は、薄暗い海の波間にわき起こる泡のように、その家の雰囲気や内部の人間関係や価値観などのなかで、絶え間なくあらわれては消えていく。そして「家族」というシステム内部での微妙な心理的動きは、表面からはほとんど見ることはできないが、やはり海と同じように深く潜ればたくさん見えてくる。

子供にとっては、この〝家族というシステム〟が現実世界のすべてである。子供はそこで教えられた通りの見方で世界を見、その体験をもとに、「自分はだれなのか」「自分を取り巻く世界はどういうものか」「ほかの人間にはどのように反応し行動したらよいか」などのことを判断していく。

それゆえ、不幸にしてこれまでの章で述べてきたような「毒になる親」に育てられた子供は、自分でも気がつかないあいだに「他人は信用できない」「どうせ自分のことなどだれもかまってはくれない」「自分には価値がない」などのネガティブな意識を身につけてしまう可能性が高い。このように自己を規定する意識を心のなかに固定させてしまうと、しだいに自滅的な性格を作り上げていく。

そういう人間から不幸を減らすには、そのような意識を変える以外にない。人生のシナリオは、たとえそれが子供の時からしみついた意識によって書かれたものであっても、その多くは書き換えることが可能なのである。だがそのためには、まず「無意識のうちに抱いてしまう感情」「自分の送っている人生」「自分が信じていること」などのどれほどが、自分が育った「家族というシステム」によって作り上げられてきたのかを知る必要がある。

ここでひとつ忘れてならないのは、親にもまたその親がいるということだ。あたたかくて愛情にあふれ、建設的な心をはぐくんでくれる親を持った子供が「毒になる親」になるということはない。つまり「毒になる親」というのは、その親もまた「毒になる親」だったのである。かくして、そこには「毒になる家系」とでもいえるものができあがってしまっている。ちょうど、高速道路で事故が起きると、後ろからくる車がつぎつぎと玉突き衝突してしまうように、「毒になる家系」においては後からくる世代につぎつぎと被害が伝えられ、毒素は世代から世代へと伝わっていく性質を持っている。

そういうわけだから、もしあなたの親が「毒になる親」だったとしても、その問題は彼らがはじめて作り出したものではないということを忘れてはならない。その前からずっと続いてきたネガティブな感情、ネガティブな家のルール、ネガティブな家族内部の人間関係、ネガティブな考え方などが何世代にもわたって伝わり、つぎつぎに積み上げられてきた結果なのである。この流れは、だれかがどこかで意識的に止めないかぎり途切れることがない。

親の「ものの考え方」

「毒になる家系」の持つ問題を考察するには、まずその家の持っている考え方、特に「親はどのような態度で子供と接するべきか」および「子供はどのように振る舞うべきか」ということに関する、その家の考え方を考察してみる必要がある。例えば、ある家では「子供の気持ちはとても大切だから無視してはいけない」と考えられ、ある家では「子供はまだ半人前なのだから、いちいちいうことを聞いてやらなくてもよい」と考えられているとする。すると、この考え方の違いが、それぞれの家の人間の態度や行動、判断、理解力、などの違いを作り出す。

このような「基本的なものの考え方」は、普通あらたまって意識されることはあまりないが、本人には驚くほど大きな影響を与えている。すなわち、物事の「いい、悪い」の判断、他人との人間関係の持ち方、道徳観や倫理観、教育観、性についての考え方や態度、職業の選び方、金銭についての意識や経済状態などを決定するのも、すべてその人の「基本的なものの考え方」がもとになっているのである。つまり、それはその家の行動パターンのすべてを形作っているといえる。

愛情があって人間的にある程度成熟している親なら、おそらく家族のメンバー全員の気持ちやニーズを常に考慮に入れてものを考えるだろう。そういう親は、子供が成長していくいくは独立していくことに対しても安定した感情を持って見守り、基本的な心のサポートを与えることができる。そういう親はまた、「子供は親と違う考えを持っていてもかまわない」「親といえども故意に子供を傷つけてはならない」「子供は間違いを犯したり失敗したりすることを恐れるべきではない」などの考えを持っていることだろう。

ところが「毒になる親」の場合は、ひとことでいえば考え方が常に自己中心的で、何事も自分の都合が優先する。例えば「子供はどんなことでも親のいうことを聞くべきだ」「親のやり方が絶対正しい」「子供は親に面倒を見てもらっているのだから、いちいち言い分を聞いてやる必要はない」などの考えである。このような考え方こそ「毒になる親」が育つ土壌である。

「毒になる親」は、自分の考えが間違っていることを示す事実には必ず抵抗する。そして自分の考えを変えるのではなく、自分の考えに合うように周囲の事実をねじ曲げて解釈しようとする。だが子供は「本当の事実」と「ねじ曲げられた事実」とを区別することができないため、親のねじ曲げられた考えをそのまま自分の人生に持ち込んでしまうのである。

言葉で語られる考えと語られない考え

人間は、自分の考えをはっきり言葉に出して言う場合と、言葉には出さないであらわす場合とがある。前者は後者に比べてより直接的なので明確である。その方法で親が子供に考えを伝える時には、しばしば忠告の形をとり、「……してはいけない」「……しないといけない」「……しなさい」という表現になる。

このように親が自分の考えを言葉ではっきり表現した場合は、子供が大人になって自分の力で物事を判断する能力を身につけた時に、その是非を判断することはそれほど難しくない。その時までに親の考えの一部はすでに身についてしまっているかもしれないが、それでもなお考察することはでき、親は間違っていると思ったら自分は同じ考えを持たずにいることはできる。

だが後者の、言葉には出さないで表現された親の考えは、子供は自分でも知らないうちに受けとめてしまっていることが多く、たとえそれが間違ったものであっても、はっきり意識せずに身についてしまっているので、気がついていないものを拒否するのは困難である。言語化されていない「ものの考え」は、本人の意識のうえにも上がらないまま、知らないうちに人生に対する基本的な態度を支配する強い力を持っている。例えば、父親が母親を扱うやり方（あるいはその逆）や、両親が子供を扱うやり方は、無言のうちになんらかのメッセージを子供に伝えてくる。子供が親の行動から学ぶことのなかでも、こういうことは重要な位置を占めるのである。

夕食の席で、親が子供に面と向かって「女は男より劣っている」とか「子供というのは生まれつき悪いことをするものだ」「子供のことより親のことのほうが大事である」などと述べたり、そういうことについてディスカッションする家があったとしたら、そのほうが珍しいに違いない。たとえそのような考えを持っている親でも、それをはっきり口に出して言うケースは少ないのである。だが、言葉にされることのないネガティブな信条は、多くの「毒になる親」の家庭を支配し、子供の人生に大きな影響を与えている。

第三章で例にあげた、遠くに引っ越したのち結婚したために母親が病気になってしまった男性は、何年間ものあいだ、後ろめたさにさいなまれていた。それは、「親をすべてに優先させられない子供は親不孝だ」という考えを信じ込まされていたためである。彼の親は、はっきりと言葉に出してそういったわけではなかったが、言われなくてもそれは明白だったのだ。

彼の両親が態度であらわしていた考えとは、はっきり言ってしまえば「親は自分の望む通りにする特権を持っているが、子供にはその権利はない」ということである。それは「大切なのは私たちの気持ちであって、お前の気持ちではない。お前は親を幸せにするために存在しているのだ」と言っているのと同じである。彼らは口に出して言うことなくその考えを息子に吹き込み、焼き付けていたのである。そのために彼は首を絞めつけられ、結婚生活すら破綻《はたん》するところだったのだ。

もうひとつ重要な点は、彼はもしセラピーを受けてこのことを学ばなかったら、将来自分の子供に対して同じようなことをしていたかもしれない、ということである。彼の親は、すべての「毒になる親」と同様、「自分たちの望む通りにしなければ罪悪感を与え、愛情は与えてやらない」という人たちだった。これこそ、子供に対するコントロールを再び自分の手中に取り戻そうとするための手法なのである。彼はこのことを正しく理解できたおかげで、無実の罪悪感から解放されることができたのだった。

言葉で語られるルールと語られないルール

親の考えはその家のルールとなる。そして考えと同じでルールも時間とともに変化していく。家のルールとは親の「考え」を具体的にあらわしたものであり、「……をしろ」と「……をしてはいけない」というシンプルな二種類の強制から成り立っている。

考えと同じで、ルールにも言葉に出して語られるものと語られないものがある。言葉にされるルールは気まぐれで独断的なことが多いが、とりあえず内容ははっきりしている。「毎年クリスマスには必ず家に帰ってきなさい」「親に口答えするんじゃありません」などのパターンがそれである。これらは内容がはっきりしているので、大きくなった子供は、もし反対なら反論することができる。

だが言葉に出して語られることのないルールは、目に見えない操《あやつ》り人形師のように子供を背後から操り、子供が盲目的に従うことを要求する。それらは意識のうえにも上がっていない隠されたルールであり、「父親よりも偉くなるな」「母親をさしおいて幸せになるな」「親の望む通りの人生を送れ」「いつまでも親を必要としていろ」「私を見捨てるな」などがそれである。

このような「無言のルール」は、子供が大人になっても人生にべったりとまつわりついて離れようとしない。この状態を変えるための第一歩は、まずこの事実を認めることだ。

「家の考え」やルールが骨格に相当するなら、体を動かして前進させるための筋肉は「盲目的な服従」である。子供が家のルールに盲目的に従うのは、不服従は一家に対する反逆だということを知っているからだ。国家や政治理念や宗教などに対する忠誠心といえども、家に対する子供の忠誠心に比べれば色を失うに違いない。どんな子供にもそれは強くあり、そのため子供は家や親に、そして彼らの考えに縛られる。だから、もしそれらのルールが健康的で理屈に合うものであるなら、いろいろな面で子供の成長を助けるものとなる。

ところが「毒になる親」の家においては、ルールは歪められた家族メンバーの役割や、事実に対する歪んだ見方や考え方をもとに作られてしまっている。そのために「盲目的な服従」は自己破壊的で自滅的な行動を作り出す。

ききわけのいい子

ここで言う〝従順さ〟とは、本人が本当に望んでそうしている従順さのことではない。つまり、本人の自由意思による選択の結果ではない従順さのことだ。第四章では、アル中の父親に誘われるままに飲酒をつき合うようになり、十歳の時から飲み仲間となった女性が、自分もアル中で自己破壊的な性格の人間となった例をあげたが、彼女が飲むようになったのが本人の自由意思によるものではないことは明らかである。彼女はセラピーを通じてしだいに真実を理解することができるようになっていったが、ある時突然セラピーをやめてしまった。それは、さらに真実を知るようになれば「悪いのは自分であって父ではない」という考えを覆《くつがえ》さざるを得なくなってしまうからだった。つまり、もしそうなったら、彼女は「家の秘密を他人に洩《も》らしてはならない」「人間的に成長して親のもとを去ってはならない」「他人と健康的な人間関係をはぐくんではいけない」という親の無言のルールを破ることになってしまうからだ。

このようにはっきり言葉にして書けば、だれだってそんなルールはまったくバカげていると思うに違いない。いったいだれが「人と健康的な人間関係をはぐくんではいけない」などというルールに従うだろうか？　だが残念ながら、事実は「毒になる親」の子供のほとんどが従っているのである。これらのルールは無意識的なものであるということを思い出してほしい。ちょうど、わざわざ人とトラブルを起こしたいと思って行動する人はいないはずなのに、結果的にそうなってしまう人は跡を絶たないばかりか、彼らは何度も同じことをくり返すのと同じである。

盲目的な従順さは、幼いうちにその人間の行動パターンを形作り、ひとたび成長してしまうと、今度はできあがったパターンからの脱出を難しくさせる。親の期待や要求と、子供が本当にやりたいこととのあいだには、しばしば大きなへだたりがあるものだが、「親の考えには従わなくてはならない」という無意識のプレッシャーは、子供が本当に望んでいることや必要としていることに、必ず重苦しい影を投げかける。人生に害毒を及ぼす親のルールを捨て去るには、ふだんは自覚することのない無意識の世界にスポットライトを当て、暗がりから引きずり出すことが必要である。自分はどんなルールに縛られているかをはっきりと見極める以外に、自分の自由意思で人生を選択できるようになる道はない。

親子の境界線の喪失

健康な家と「毒になる家」の最大の違いは、家族のメンバー一人ひとりにどれほど個人的な考えや感情を表現する自由があるかという点である。健康な家庭では、子供の個性や責任感や独立心などをはぐくみ育てようとする。そして子供が「自分は人間としてそこそこの価値はある」と感じ、自尊心を持つことができるように励ましてくれる。

だが、「毒になる親」のいる不健康な家庭では、メンバーの一人ひとりが自分を表現することを認めず、子供は親の考えに従い、親の要求を実行しなくてはならない。だが、そういうことをしていると、個人間の境界がぼやけ、何が自分の本当の意思なのかがわからなくなってくる。こうして家族のメンバー同士は不健康な形で密着し、親も子供もどこまでが自分でどこから先が子供（親）なのかがわからない。そしてそのように密着することでお互いを窒息させ合っているのである。

このように内部で複雑にもつれ合った家庭では、子供は親の承認を得ているという安心感を得るためには、本当の自分を売り渡さざるを得ない。例えば、今日はなんとなく親の顔を見たくないと思っていても、「ぼくは今夜うちの連中の顔を見るのがいやなのだろうか？」と自問することはできず、「もしぼくが帰らなかったら、親父は怒って母をぶつだろうか」とか「ぼくが帰らなかったら、ママはまた酒を飲んで酔いつぶれるだろうか？」とか「ふたりとも怒って、来月まで口をきいてくれないかもしれない」などという具合に考えてしまうのである。

子供がこのように考えるのは、もしそのようなことが起きたら、どれほど罪悪感を感じさせられるかを知っているからである。そういう家では、自分のことを自分で決めることが、たちまちややこしくこんがらがった問題となってしまう。こうなると、もはや子供の感情、行動、決定などは、本人のものではなくなってしまい、「家」の従属物となってしまうのである（第三章を参照のこと）。

「家」のバランスを取る行動

このように内部が複雑で不健康にからみ合っている家、すなわち「毒になる家」では、みながその家のルールを守っているかぎり、「見せかけの愛情」と「安定」という幻想を維持することはできる。だが、結婚などをきっかけに家から離れたり、親の家から離れて独立しようとすると、本人はそんなつもりはなくても家のバランスをひっくり返すことになってしまう。

もちろん、どのような家庭でも、ある種の安定を維持するためにはバランスが必要だ。そのバランスは、家族のメンバーがお互いの行動を予測できる状態で相互に反応しているかぎり、ひっくり返ることはない。健康な家庭においては、バランスとは落ち着いた秩序を意味し、安らぎとなる。

だが「毒になる家」においては、「バランスを維持する」ということは、高いところに張られたゆらゆら揺れるロープを渡るようなものだ。そういう家では家庭内の混乱は日常茶飯事で、それがその家の通常の状態なのである。本書でこれまでに考察してきたような「毒になる親」の行動も、そういう意味ではその異常なバランスを維持しようとしてのことと言える。実際、「毒になる親」は、彼らのバランスが失われそうになると、しばしば混乱を作り出すことで抵抗しようとする。

「毒になる家」では、その毒性が強ければ強いほど、些細《ささい》なことが大問題となり、バランスがちょっと失われただけでも生きるか死ぬかのような大問題となってしまう。子供の考えがちょっと違うだけで、「毒になる親」はまるで自分の命がかかっているかのように振る舞うのはそのためなのだ。

ここで、第四章で紹介した男性の発言を引用してみよう。

二十歳くらいの時、アル中の父に対して自分の考えをはっきり言おうと思ったことがある。実際に行動に出るのには勇気がいったが、酔っている時の父の言動は耐えがたく、そういう姿を見るのは好きでないということをどうしても言ってやりたかったのだ。だが、その話をはじめたとたんに、母がパニックに陥ったようになって父を弁護して、私を攻撃しはじめた。おかげで私は、そんな話を持ち出したことに罪悪感を覚えさせられてしまった。母は私の言うことすべてを否定し、姉も家庭内に荒波が起こることを恐れて聞こえないフリをしていた。私は自分が何か悪いことでもしたかのようなひどい気

分になった。

その後、家族はだれも私に口をきかなくなり、まるで私など存在しないかのように無視し続けた。


彼はだれも口にしようとしない事実を口にしただけなのである。その事実とは、父親はアルコール中毒だということだ。だがそれを言ったために、彼は家庭内に騒動を巻き起こし、テンションとストレスを引き起こした犯人ということにされてしまったのだ。それは、「偽りの安定」という家のバランスを崩したためである。

「毒になる家」では、どんなことでも危機のきっかけとなる。父親が仕事を失った、親戚のだれかが死んだ、義理の親戚が同居することになった、娘が新しいボーイフレンドと出かけてばかりいる、息子が独立してひとりで暮らしたいと言いだした、母親が病気になった、等等、なんでもかまわない。そして、いまの例でもわかるように、「毒になる親」は、家族の危機（それは彼らにとっての危機なのだが）に対しては、「事実の否定」「真実を隠すこと」そしていちばん最悪なのは「人を非難すること」で対抗しようとする。そしてその非難の対象となるのは、いつも必ず子供なのである。

「毒になる親」は、自分の危機にどう反応するか

比較的うまく機能している家庭では、親は自分自身あるいは家庭内に問題が起きた時、なんとかそれに取り組んで解決しようとする。そして、その時には物事をオープンに話し合い、いろいろ異なる選択肢もさぐり、必要とあれば外部の人間に助けを求めることも恐れない。ところが「毒になる親」は、問題が起きるとそれを自分のバランスを崩す脅威と受けとめる。そして、恐れとフラストレーションを露骨にあらわし、その結果が子供にどういう影響を及ぼすかについてほとんど考えることなく反射的に反応する。その対応の仕方は硬直化しており、パターンはいつも同じだ。

そのもっともよくあるパターンを以下にあげてみよう。

1. 事実の否定

本書のいたるところで示されているように、「事実の否定」は、問題が起きた時に「毒になる親」がまず最初に行う反射的な行動である。これには二種類がある。ひとつは「そんな問題は起きていない」という反応で、これは問題が存在することそのものの否定である。ふたつ目は、「問題はあったが、それは今後もう起きない」または「そんな問題は大したことではない」という、問題の矮小化《わいしょうか》である。これには、冗談にしてしまったり、正当化したり、違う言い方をして問題をはぐらかすことも含まれる。違う言い方というのは、例えばア

ルコール中毒であることを「つきあいで飲んでいるだけ」と言ったり、子供に暴力を振るうことを「厳しくしつけている」と言うなどである。

2. 問題のなすりつけ

これにも二種類がある。ひとつは、能力の不足など自分自身の問題を、子供の問題に転嫁して責めること。例えば、いつも仕事が長続きしない父親が、息子を怠け者で無能だといって責めるなどである。もうひとつは、自分が救いようのない状態になっているのは自分自身の抱えている問題のせいなのに、その原因として子供を責めること。例えば、アル中の母親が娘に「お前のおかげで私は不幸な思いをさせられ、飲まずにはいられない」と言うなどだ。

彼らは自分自身の行動や欠陥の責任から逃れるために、この二種類の手をともに使うのもめずらしくない。

3. 妨害行動

精神障害、アルコール中毒、慢性病、暴力癖などのはなはだしい障害がある親のいる家庭では、家族のほかのメンバーはその親を救い、世話をする役を担うことになる。この状態は強者と弱者、善と悪、正常と異常などの関係を作り出すが、まれにこのバランスが崩れることを好まない人間（たいていはもう片方の親）が、問題のある親の回復を妨害しようとすることがある。また、問題のある子供がセラピーなどを通じて心の健康を回復しはじめると、セラピーをやめるように親が圧力をかけたりして妨害することもある。

4．三角関係を作る

「毒になる家庭」では、片方の親がもう片方の親に対抗するために子供を味方につけようとすることがある。そうなると子供は不健康な三角関係の一角に組み込まれ、常にどちらを選ぶのかという圧力をかけられて二方向に引き裂かれてしまう。この場合、親は自分たちの抱える問題に正面から取り組むことなく、相手の問題点を子供に言いつけることで自分の気分を楽にしようとする。子供は両方の親からネガティブな感情の荷おろしをする場所にされてしまう。

5．秘密を作る

「毒になる親」が生きていくには、家庭内に外部の人間が入れない自分たちだけの閉ざされた世界を作る必要があり、そのために〝秘密〟が必要になる。これは特に、彼らにとっての家庭のバランスが脅《おびや》かされた時に、家族のメンバーを結びつけておくために役に立つ。例えば、本当は親にぶたれてあざを作った子供が、「階段でころんでケガをした」と人に言って事実を隠したとすると、その子供はそういう行動をすることで家を外部の干渉から守っているわけだ。

親の考え方、親の作るルール、そして子供がそれらをどれほど従順に守っているか、などの観点から「毒になる親」を見れば、子供が大きくなってから示す自己破壊的な行動や性向についての多くのことがはっきり見えてくる。また、そういう親の行動のほとんどを背後から駆り立てている強力な「力」の存在について、ひいては子供の行動を駆り立てているのは何なのかがわかるようになってくる。

理解は変革への第一歩だ。それによって新しい選択肢への扉が開かれるのである。だが、物事をただ違った角度から眺めるだけでは十分ではない。真の変革と苦しみからの解放は、違ったやり方を実行することによってのみ、はじめて訪れてくれる可能性が出てくる。つぎの第二部では、その具体的な方法についてのアウトラインを示そう。

第二部　「毒になる親」から人生を取り戻す道

第二部のはじめに

本書の第一部では、「毒になる親」とはどのような親なのか、彼らは子供に対してどのような有害な行為をし、それらのことは子供が成長してからどのような問題を引き起こす原因となるのか、ということについて実例をあげて説明した。第二部は、不幸にしてそのような親を持った人間がいかにしてその悪影響から身を守り、自滅的な行動パターンを建設的なものに変えて、自分の人生を自分のものとして生きていくにはどうしたらよいかについて具体的な方法を示そうとするものである。

ただし、ここに述べられている内容は、現在すでに心理学的治療を受けている方がその治療の代用になるようにと意図して書かれたものではない。そういう方は、現在受けている治療を続けられ、本書はその補助として役立てていただきたい。また、本書を読みながら自分の抱える問題を独力で解決しようと試みることはかまわないが、親から折檻《せっかん》などの肉体的虐待もしくは性的虐待を受けたことのある被害者は、どうしても専門家の助力が必要である。

さらに、苦しみから逃《のが》れるために薬物を使用したり、アルコール類に頼らねばならない人は、本書に書かれている方法によって自分の問題を解決しようとする前に、それらのものを必要とする衝動を抑えられない自分と取り組んでおかなくてはならない。そのような依存症に支配されたまま自分の人生を取り戻すことは不可能だからである。それゆえ、その問題を抱えている方は、まずそちらのほうの治療に専門家の助けを求めることを強くお勧めする。この第二部に書かれている方法を試みるには、アルコール類や薬物を少なくとも六ヵ月は断つことができる状態になってからでなくてはならない。というのは、断ってまだ日が浅い段階では、感情が極度に敏感になっているので、子供時代の体験を解き明かしていく時の苦しみから再びそれらのものに手を出す危険性が高いからである。

また、本書を読んで、そこに示されているアウトラインに従ったからといって、「毒になる親」によって引き起こされている問題がたちまち消え去るということはあり得ない。けれども本書で解説されている内容をよく理解し、時間をかけて実行すれば、問題の親をはじめ、あなたを取り巻く人々との新しい関係の持ち方を必ず発見できるに違いない。また、自分は何者なのか、自分はどのような人生を望んでいるのか、ということもよく見えてくることだろう。その結果、新しい自信が生まれ、ひとりの人間としての自分の価値が発見できるようになるに違いない。

第九章 「毒になる親」を許す必要はない

この章題を読まれた方の多くは、つぎのように反論したい気持ちになるかもしれない。

「でも、相手を許すというのは、まず最初にしなくてはならない一番大切なことではありませんか」

それに対する私の答えは「ノー」である。私のこの答えには、ショックを受けたり、腹を立てたり、がっかりしたり、あるいは何がなんだかわからなくなったと言う人も多いことだろう。「心の癒《いや》し」について少しでも学んだことのある人なら、ほとんどがこれと正反対のこと、つまり「許し」こそ「癒し」の第一歩だと信じ込まされてきているのだから、それも不思議ではない。

だが真実を言うなら、あなたが自分に対して良好な感情を持ち、自滅的な人生を建設的なものに変えるためには、必ずしも親を許す必要はないのである。

この事実は、世の宗教や哲学、あるいは心理学的な教えに真っ向から逆らうものかもしれない。カウンセラーのなかにも「許すこと」こそ「癒《い》える」ために必要な最初のステップであるばかりでなく唯一の方法であると固く信じている人も多い。だが、はっきり言わせてもらうが、私はそれには賛成できない。

実はかく言う私も、カウンセラーの仕事をはじめたばかりのころはその考えを信じ、自分を傷つけた相手、特に親を許すことは、心の癒しにはもっとも重要なことではないかと思っていた。そして、親からひどい虐待を受けた人たちに、そういう親を許すようにと私も説いたものだ。だが、その後私がしだいに発見していったのは、多くの被害者は親を許したと語っていたが、彼らの心は少しも癒えていないということだった。彼らはあいかわらず自責の念に責められていたり、みじめな気持ちや抑え込まれた怒りを消すことができないままでおり、心身の症状はまったく好転していなかったのである。「許した」と思った時には一時的に気分がすっきりすることはあるが、その状態がずっと続くことはなく、人生が劇的に変わったわけでもなかった。実際、そんな風に自分に言い聞かせることによって、さらに打ちひしがれている人もいた。自分の許し方が足りないのだと思い込み、ますます「自分はだめな人間だ」と感じてしまっている人もいた。

そういうわけで、私はその後、長い年月をかけて「許す」という概念について綿密に研究してきた。そして次第に、「許さないといけないから許す」という考えは、傷ついた心の回復には助けにならないばかりか、むしろ妨げになっているのではないかと思うようになった。

私は「許す」ということにはふたつの要素があることに気がついた。ひとつは、「復讐《ふくしゅう》をしない」ということであり、もうひとつは、責任を負わなくてはならない人間から「罪を免除する」ことである。

このひとつ目の点、つまり、自分がやられたことに対して仕返しをしたい気持ちを捨てるということについては、もちろん私が反対する理由は何もない。復讐心というのはだれもが抱くことのあるとてもノーマルな感情ではあるが、人間の行動の動機としてはとてもネガティブである。それは、やり返すことによって満足を得たいという執着心の泥沼に人をはまりこませ、欲求不満と不幸を作り出し、心の健康とは逆行するものである。復讐をした瞬間にはいい気分がするかもしれないが、その気分は長く続くものではない。相手との感情的な軋轢《あつれき》はさらに拡大し、貴重な時間もエネルギーも浪費する結果となるのである。自分にひどいことをした人間に仕返しをしたい気持ちを捨て去るのはたやすいことではないが、そのように努力することは明らかに健康的なワンステップである。

だが、「許し」の持つふたつ目の点、「罪の免除」の正当性はこのように明確ではない。責任を負わねばならない人間から正当な議論もなく罪を免除してしまうというのは、特にそれが罪もない子供にひどい思いをさせた人間だった場合、どうも正しいこととは思えないのである。

罪もない無垢《むく》な子供を恐怖に陥《おとしい》れ、あるいは心や体を傷つけて苦痛を与え虐待した親の責任を、免除しなくてはならない理由がどこにあるのだろうか。家に帰るたびに暗い部屋のなかで酔いつぶれている母親をなだめて世話をしなければならなかった子供が、人生を台無しにされた事実をなぜ〝見過ごして〟あげる必要があるというのか。親から性的な行為をされ、そのために正常な情緒を回復するために一生苦しまなくてはならなくなった人間が、そんな親の罪を免除してやる必要がいったいどこにあるのか。七歳の少女をレイプした父親を許さなければならない理由が本当にあるのか。

さらに被害者の観察を続けた結果、私はそのような「罪の免除」は「事実の否定」（第一章三十九ページ参照）の一形態にすぎないと確信した。親を「許した」と言っている多くの人たちは、本当の感情を心の奥に押し込んでいるのに過ぎず、そのために心の健康の回復が妨げられていたのである。

「許す」ことの落とし穴

人間の感情は理屈に合わないことを無条件で納得できるようにはできていない。許さないといけないからという理由で無理やり許したことにしてしまっても、それは自分をだましているだけなのである。そのもっとも危険な点は、閉じ込められた感情がそのままになってしまうということだ。それで怒りが本当に消えたわけではもちろんなく、心の奥に押し込まれているのである。しかし「許した」と言っている以上、その怒りを認識することなどできるわけがない。

自分の身に起きたことの〝責任〟は、自分にあるかだれかほかの人にあるかのどちらかでしかない。例えば、あなたがだれかに傷つけられた時、そうなったのはあなた自身の責任か、それともあなたを傷つけた人間の責任かのどちらかでしかないのである。そこで、親を「許した」と言っている人たちは、無理して親の責任を免除した結果、自分がその責任を負うことになる。そして自責の念や自己嫌悪に陥り、または抑え込まれた怒りが原因で心身にさまざまな障害を引き起こしているのである。

多くの人をカウンセリングして私が気づいたもうひとつの点は、真実を見つめて問題に取り組むというのは非常につらい作業であるため、その苦しさから逃れるために「許し」に逃げ込んでしまう人がいるということだった。そういう人は、あたかも親を「許し」さえすればたちまち気分は回復し、元気になれるとでも思っているようだ。そしてかなりの人が「もう許したから」といってセラピーを早々に切り上げてしまい、後になって以前よりひどいうつ病や不安症候群に苦しむことになるのである。

このように、心の奥では消えていない本当の感情を無視して自分をだましているかぎり、その感情はことあるごとに噴き出してくる。「もう許した」と思った時には一時的に心が洗われたようになって、心身の健康が急激に好転することはたまにあるが、それが長く続くということはない。なぜなら、心のなかで本当に感じていることは何ひとつ変わっていないからだ。

このいきさつをよく示している例として、まるで映画のような話をひとつ紹介しておこう。

その女性は私に会った時二十七歳で、キリスト教の原理主義者だった（訳注：原理主義とは、教典に書かれている内容をすべて文字通りに信じることを信仰の基本とし、近代的な解釈をいっさい拒否する狂信的な考えのこと。キリスト教やイスラム教の原理主義者は、少数ではあるがしばしば過激な活動を行う）。彼女は十一歳の時に義父にレイプされ、それから母親が義父と別れるまでの一年間、性的な行為を受け続けた。それからつぎの四年間、彼女はさらに母親のボーイフレンドの何人かにいたずらをされていた。十六歳の時に家出し、売春をはじめた。二十三歳の時、たちの悪い客から殴る蹴るの暴行を受け、あやうく命を落としそうになった。担《かつ》ぎ込まれた病院に入院し、そこで若い用務員と知り合った。その男は熱心なクリスチャンで、誘われて教会にいくようになった。彼女はその教会で洗礼を受け、人生をもう一度やり直す勇気を得た。一年後にふたりは結婚し、子供も生まれた。

ここまでは映画のような話だが、現実はそのままハッピーエンドにはならなかった。家庭も持ち、新たな決意のもとにキリスト教徒として生まれ変わったはずなのに、しばらくたつと理由もよくわからないのにみじめな気分に襲われるようになり、うつ病に悩むようになったのである。しだいに悪化していったのでセラピーを受けはじめ、二年たったが症状は好転しなかった。彼女が私を訪ねて来たのはその時だった。

私は彼女を近親相姦の被害者のグループ・セラピーに参加させた。彼女ははじめ、義父のことも許しているし、愛情がなくて親の義務を果たさなかった母親のことももう許していて、心は平和だと主張していた。そこで私は、うつ病を治すためにしばらくの間だけ「許す」ことは忘れて、内面に潜んでいるかもしれない「怒り」を感じ取ってみる練習からはじめてみたらどうかと勧めた。だが彼女はその提案に強く抵抗し、「許す」ことの大切さを深く信じていること、そして治るために「怒る」必要はないと主張した。それからしばらくのあいだ、彼女と私とのあいだにはかなり大変な綱引きがあった。それは、私が彼女に非常につらいことをするように要求していたということもあるが、同時に、彼女の宗教的な信条が治療のじゃまをしていたのである。

その後も彼女はセラピーにはきちんと参加し、真面目にスケジュールをこなしていったが、内面の「怒り」に注意を向けることだけは拒否していた。

それからしばらくして、彼女はグループ・セラピーに参加しているほかのメンバーのために、少しずつ怒りを表現するようになった。例えば、メンバーのひとりの身に起きたひどい出来事についてディスカッションしている時に、その人に代わって加害者に対して怒りをあらわすようになったのだ。

それから二、三週間後のこと、大転機が訪れた。ついに自分自身に起きたことに対する怒りがほとばしりはじめたのである。セラピーの途中で彼女は大声で叫びだし、子供時代を破壊し大人になってからの人生までめちゃくちゃにした両親のことを金切り声をあげてののしり泣きわめきはじめた。嵐が過ぎ去った後、すすり泣く彼女を抱きしめると、すべてを解き放った後の虚脱状態で、体からすっかり力が抜けてぐったりとなっていた。

彼女の感情が鎮まったのを見計らって、私は「敬けんなクリスチャンの女性があんな風になるなんて、いったいどうしたっていうの?」とからかった。それに対する彼女の答えを、私は忘れることができない。

彼女は「きっと神様は、人を許す以上にもっと自分が回復することを私に望んでおられたんだと思うわ」と答えた。

誤解がないようにつけ加えておきたいが、私はけっして「親を許すな」と言っているのではない。本当に許すことができるのなら、それはかまわない。だがそれは「心の大掃除」という長い道のりを経て、すべての整理がついたうえで、最後の結論としてそうなるのでなくてはならないということなのである。まず最初に「許さなくてはすべてがはじまらない」というのでは、順序が逆なのだ。

ひどい思いをさせられた人間は、「怒り」という感情を抑えておかずに外に出す必要がある。子供の時に切望していた愛情を親から与えられなかった人間は、「深い悲しみ」という感情を抑えておかずに外に出す必要がある。自分にされたことを矮小化するようなことはやめなければならない。人は簡単に「許して忘れなさい」と言うかもしれないが、それは「そんなことは何も起きなかったというフリをしていなさい」と言っているのと同じである。

もうひとつ、「許し」とは、許される側の人間がそれに値するなんらかの具体的な行動を取った時にはじめて適切なことと言えるのではないか、と私は思うのだ。子供に害悪を与えた親は、自分の行ったことがなんであったかを認め、その責任が自分にあることを認め、自分を改める意思を見せなければならない。

被害者のほうが一方的に加害者を許して責任を免除し、一方、加害者である親は相変わらず事実を否定し、被害者の気持ちを踏みにじってひどいことを言い続けるのでは、被害者の心の回復は起こり得ないのである。もし問題の親がすでに死亡していて、責任を取ることができない場合は、被害者は怒りを抱いている自分を許すことによって、心身の健康に大きな影響を与えていた親の心理的支配から自己を解放し、傷ついた心を癒すことができる（詳しくは第十三章を参照のこと）。

ここまで読んでも、なお「しかし、もし相手を許さなかったら、苦渋に満ちた人生はその後も変わらないのでは」と思っている方もいることだろう。その疑問はよくわかるが、事実はその正反対である。

私は長年にわたって多くの被害者をカウンセリングし、観察してきたが、「毒になる親」の支配から自己を解放した者は、必ずしも親を許さなくても心の健康と平和を取り戻すことができている。そのような解放は、自分が内面に抱える「激しい怒り」と「深い悲しみ」というふたつの感情と正直に取り組み、苦しみの原因となったことの責任を本来負わなければならない人間、すなわち害毒を与えた親の両肩に返すことができて、はじめて可能となっているのである。

第十章 「考え」と「感情」と「行動」のつながり

「毒になる親」に育てられた子供は、何をするにも常に親の承認を得なければならないように感じているため、自分が望む人生をなかなか生きることができない。もちろん、どのような人間でも親とはなんらかの感情のからみ合いがあるのが普通であり、「考え」と「感情」と「行動」のすべてが親の希望や期待にまったく影響されていない人というのはほとんどいないと言っていいだろう。実際、健康な家庭では、ある程度の精神的からみ合いは「自分の家族」というものに対する帰属意識を生み、メンバー間の結びつきを強める有益なものである。それでもなお、時には健康な家庭ですら親の影響力が強くなりすぎることはある。まして「毒になる家」においては、感情のからみ合いは許容範囲を超えた異常なレベルにまでなってしまう。

親に自己をからめ取られる形は、大きく分けて二種類ある。ひとつは親の気持ちを満たすために言いなりになるもので、この場合はたとえ自分に望むことがあっても親の望みを常に優先させる。もうひとつはその反対に反抗するものだが、たとえわめいたり脅したり断絶までしたとしても、やはり親にからめ取られていることには変わりがない。この場合、一見そうではないように見えても、親は子供にわき起こる感情や行動に依然として巨大なコントロールを及ぼしているのである。なぜかといえば、親に対してそのように激しく反応するというのは、彼らに自分を不快にすることのできる力を与えてしまっているということであり、つまりはコントロールされているということになるわけである。

親にどれほど自己をからめ取られているかは、自分の「ものの考え方」「感情」「行動」の三つについて調べてみるとよくわかる。では、それらをひとつずつ見てみよう。

「考え（信条）」のチェック

第八章でも考察したように、個人の根本にある「ものの考え方（信条）」は、その人の態度、知覚力、人間というものについての概念、倫理観などに根本的な影響を与える。したがって、人間として成長し、人生を好転させるためには、まず自分の「間違った考え」が「ネガティブな感情」と「自滅的な行動」にどう結びついているかに気づく必要がある。

つぎにあげるチェックリストは、あなたの「感情」や「行動」のおおもとにはどのような「ものの考え方」が横たわっているかを突き止めるのを助けるためのものである。自分を偽らずにじっくりと心の奥を観察してみてほしい。以下で「親」とあるのは、父親でも母親でもかまわない。

〈親との関係における私の「考え方」〉

1. 親は私の行動しだいで幸せに感じたり感じなかったりする。
2. 親は私の行動しだいで自分を誇らしく感じたり感じなかったりする。
3. 親にとって私は人生のすべてだ。
4. 親は私なしには生きられないと思う。
5. 私は親なしには生きられないと思う。
6. もし私が本当のこと(例えば、離婚する、中絶した、同性愛である、フィアンセが外国人である、等々)を打ち明けたら、親はショックで(または怒りのあまり)倒れてしまうだろう。
7. もし親にたてついたら、私はもう永久に縁切りだと言われるだろう。
8. 彼らがどれほど私を傷つけたかを話したら、私はきっと縁を切られてしまうだろう。
9. 私は親の気持ちを傷つけそうなことは何ひとつ言ったりしたりするべきではない。
10. 親の気持ちは自分の気持ちよりも重要だ。
11. 親と話をすることなど意味がない。そんなことをしたところで、ろくなことはないからだ。
12. 親が変わってさえくれれば、私の気分は晴れる。
13. 私は自分が悪い息子(娘)であることについて親に埋め合わせをしなくてはならない。

14. もし彼らがどれほど私を傷つけたかわからせることができたら、彼らも態度を変えるに違いない。

15. 彼らがたとえどんなことをしたにしても、親なんだから敬意を払わなくてはならない。

16. 私は親にコントロールなどされていない。私はいつも親とは闘っている。

もしこれらのうち四つ以上が「イエス」だったら、あなたの心はいまだに親と相当からみ合っている。受け入れるのはつらいかもしれないが、いまサンプルとしてあげた十六の「考え方」は、すべてネガティブで自分をダメにする考えである。こういう「考え」を持っているかぎり、あなたは独立したひとりの人間にはなれない。あなたは引き続き精神的な依存に縛られたまま、エネルギーを奪われ続けていくだろう。

多くの「毒になる親」に共通していることは、彼らは自分の不幸や不快な思いを他人のせいにするということである。そしてその対象にはたいてい子供が使われる。もしあなたが、親が幸福か不幸かに責任があると感じさせられているとすれば、あなたは自分が親を（ひいてはほかのだれでもを）喜ばせたり悲しくさせたりすることができると考えているということになる。

だが、ここが大事なところだ。人間の感情が他人の言動から影響を受けるのは事実だが、大人であるなら、だれかに傷つけられた時に自分を癒すのは自分の責任である。それは親であろうと同じことだ。

例えば、子供が親の認めない相手と結婚したり、自分のしたい仕事をするために遠く離れた町にある会社に就職したとしても、そのこと自体は残酷な行為でもなければ親を傷つけようとしてのことでもない。もしその結果、母親が裏切られたように感じたり傷ついたとしたら、なんとかして自分を癒す道を見つけなければならないのは母親本人の仕事である。子供はそのような母親に優しい言葉をかけてあげるのはいいことだとしても、母親の気分をなだめるだけのために自分の大切な計画を変更しなければならない理由はない。母親の感情のために自分にとって必要なことをつぶしてしまうのは、本人ばかりでなくその母親のためにもよくないことなのである。なぜなら、その結果、子供の内面に生じて抑え込まれる不快感、怒り、嫌悪感、といったものは、いくら否定したところでその後の親子関係に大きな影響を及ぼさざるを得なくなるからである。

もしあなたの人生における決定事項の大部分が、その結果親がどういう気分になるかということが基本になっているのであれば、それはあなたの人生ではなく彼らの人生である。それではまるで、あなたは自分の車に乗っているのにいつも運転席に座っているのは親で、あなたは自分で運転したことがないのと同じだ。

ここにあげた項目はいくつかの例にすぎない。ほかにもあなたが自分をひとりの大人の人間として感じることを妨げている「考え」があれば、つけ加えてみてほしい。

間違った「考え」が引き起こす苦しみ

自滅的な「ものの考え方（信条）」は、常に苦痛に満ちた感情を引き起こす。ということは、自分の抱いている感情を調べることによって、そのような感情を引き起こすもとになった「考え」と、その結果の「行動」についての理解を深めることができるようになるということだ。

多くの人は、感情とは自分に対して起きた出来事に対するリアクションとして生じるもので、その原因は外部にあると考えているが、実は、強い恐怖心や喜びや苦痛といった感情ですら自分が内部に抱えている「考え」がもとになって生じている場合がある。

例えば、ある日あなたは勇気を出して、アルコール中毒の父親に酒をやめるように言ったとしよう。すると父親は大声でわめき、「自分はアル中ではない」とか「父親を侮辱するとはなんだ」と言ってあなたをののしったとする。あなたは罪悪感を感じて落ち込んでしまい、そのように感じるのは父親にののしられたためだと思うかもしれない。それは完全に誤りではないが、それだけでは話はまだ半分しか終わっていない。残りの半分とは、あなたがその罪悪感に襲われる直前に、自分でも気づいていない「考え」が自動的に頭をもたげたのだということなのである。その「考え」とは、例えば「子供は親に口答えしてはいけない」とか、「酒をやめられないのは病気なんだ。自分は父の面倒を見てあげないといけないのではないか」などという「考え」なのだ。罪悪感に襲われたのは、心の奥に深く根ざしたこれらの「考え」について、それまで正直に取り組んでいなかったからである。

このように、多くの状況のもとでは、感情がわき起こる直前に、常に家で培われた「考え」が無意識のうちにあなたの全身を駆けめぐる。この「考え」がどんなものか、そして、**それと「感情」とのつながりを理解することが、自滅的な「行動」に走ることを止めるための第一歩だ。**

「感情」のチェック

どんな人間でも、「親」というものに対しては感情的な強い反応が起きるのが普通である。その感情については、よく自覚している人もいれば、無視することで自分を守ろうとする人もいる。自分の自然な感情を心の奥深くに埋めてしまうことに慣れてしまった人は、まずそれを掘り起こして、自分の感情というものに馴染《なじ》む必要がある。その練習のために、つぎに示すチェックリストを見てほしい。

その際、自分の感情がはっきり自覚できない人は、自分の親と同じような人間を親に持った人はどのような感情を抱くだろうか、と他人事のように想像してみるのもよいだろう。セラピストの助けなしには自分の深い感情をさぐることができない人も多いが、そういう場合でもその人の感情はなくなっているのではなく、どこにしまい込んだのかわからなくなっているだけなのである。いずれにせよ、どのような方法を取るにしても、自分の「感情」をはっきり認識することなしに、これより先に進むことはできない。

抑え込まれて自覚していなかった感情が表面に出てくる時には、しばらくのあいだ、非常に不快な気分が続くことがあるので、ゆったりと構えてあまり先を急がないことが大切だ。専門家のセラピーを受ければたちまち気分がよくなるように思っている人もいるが、そんなことはあり得ない。むしろ気分はよくなる前に一度悪くなるのが普通である。この作業は「心の外科手術」のようなものだ。傷は治癒する前にまず洗浄しなくてはならないし、痛みが消えるまでには時間がかかる。だが、痛みを感じるのは癒えるプロセスがはじまったという証拠でもあるのだ。

読者が自分の感情を調べる作業を容易にするため、つぎのチェックリストでは感情を「罪悪感」「恐れ」「悲しみ」「怒り」の四つに分けてまとめてある。これらの感情はすべて、きっかけがあると自動的にわきあがってくるネガティブな感情であり、たいていはトラブルのもととなる感情であるが、発生の予測がつくものでもある。自分の状態に近いと思われるものに印をつけてみてほしい。

〈親との関係で私が感じる「感情」〉

1．私は何事でも親の期待通りにできないと罪悪感を感じる。

2. 私は親の気分を害するようなことをすると罪悪感を感じる。
3. 私は親のアドバイスに逆らうと罪悪感を感じる。
4. 私は親と言い争いをすると罪悪感を感じる。
5. 私は親に腹を立てると罪悪感を感じる。
6. 私は親を落胆させたり気持ちを傷つけたりすると罪悪感を感じる。
7. 私は親のために十分頑張っていないと罪悪感を感じる。
8. 私は親からするようにと言われたことをすべてやらないと罪悪感を感じる。
9. 私は親の言うことを拒否すると罪悪感を感じる。
10. 私は親に大声を出されると怖い。
11. 私は親に怒られると怖い。
12. 私は親に対して腹を立てるのは怖い。
13. 私は親が聞きたくないだろうと思われることを彼（彼女）に言うのは怖くてできない。
14. 私は親が愛情を与えてくれなくなることが怖い。
15. 私は親に反対するのは怖い。
16. 私は親に反対して立ち上がるのは怖くてできない。
17. 私は親が喜んでくれないと悲しい。
18. 私は自分が親を落胆させたとわかったら悲しい。

19. 私は自分が親の生活をよくしてあげられなかったら悲しい。
20. 私は、私が原因で彼らの人生がだめになったと言われたら悲しい。
21. 私は自分の望むことをしてそれが親を傷つけたら悲しい。
22. 私は親が私の（夫、妻、恋人、友達）を好きでなかったら悲しい。
23. 私は親から批判されたら腹が立つ。
24. 私は親が私をコントロールしようとしたら腹が立つ。
25. 私はどのような人生を生きるかについて親から指図されたら腹が立つ。
26. 私がどう考え、どう感じ、どう行動するかについて、親から口を出されたら腹が立つ。
27. 私は親からああしろこうしろと言われると腹が立つ。
28. 私は親から何か要求をされると腹が立つ。
29. 私は親が私を通して自分の人生を生きようとしたら腹が立つ。
30. 私が親の世話をすることを彼らが期待していたら腹が立つ。
31. 私は親に拒否されたら腹が立つ。

これらの感情以外にも、材料として使えるものがあればリストに加えてみてほしい。例えば、身体的な反応などもよい材料だ。だれでも口ではごまかすことができるが、体はその時の感情に正直に反応する。各人の体にどのような反応が出るかは、遺伝的要素やそれぞれの個人の体の弱いところ、身体的な個性、その時の感情の状態などによって異なるが、一般的に言って、頭痛、胃や腸の不調、体のこり、疲労感、食欲不振または異常に食べたくなる衝動、睡眠障害、吐き気、などは「毒になる親」を持った子供が成人後によく見せる症状としてまれではない。もっとも、もしそれらの症状があってそれが心因性のものだと確信できても、あまり長く続く場合には身体的な病気に進むこともあるので医師に相談したほうがよい。

このリストの三分の一以上が「イエス」である人は、いまだに親に心理的にからみ取られている度合いが強く、感情が親によって左右されている。

「考え」と「感情」と「行動」の結びつき

つぎに、いま行った感情のチェックで自分に当てはまる項目があったら、その後に「なぜなら」とつけ加え、その後ろに最初のリスト（二百八ページ）から当てはまる文章を見つけてつなげ「……だからだ」と結んでみてほしい。このようにして、自分の抱く感情の理由を改めて考えてみることにより、自分がなぜそのように反応するのかについてたくさんのことが納得できるようになるだろう。

例えば、感情のチェックのところで「2．私は親の気分を害するようなことをすると罪悪感を感じる」という項目が自分に当てはまったとする。そうしたら、それはなぜなのかを自問して、最初の「考え」のリストから当てはまるものをさがし、「なぜなら、9．私は親の気持ちを傷つけそうなことは何ひとつ言ったりしたりするべきではないからだ」という考えを持っていたとわかるという具合だ。

同様に「18．私は自分が親を落胆させたとわかったら悲しい」は、「なぜなら、1．親は私の行動しだいで幸せに感じたり感じなかったりするからだ」、「12．私は親に対して腹を立てるのは怖い」は、「なぜなら、7．もし親にたてついたら、私はもう永久に縁切りだといわれるだろうからだ」という「考え」を持っていたからかもしれない。

このように、わき起こる「感情」と心の奥に横たわる「考え」の結びつきをあらためて調べてみると、「感情」というものがいかに「ものの考え方（信条）」を土台にしているかがわかるに違いない。このように、自分の感情のわき起こるもとになっているものが何なのかを知ることは、感情をコントロールできるようになるための重要な第一歩である。

「行動」のチェック

人間にはまずもとになる「考え」があり、つぎに人との関係による「感情」が生じ、その結果「行動」が起こるとすれば、「行動」の仕方を変えるには「考え方」と「感じ方」を変えなければならないということは容易に想像がつくであろう。以下のリストに示す行動パターンは、前にあげたリストの「考え」と「感情」から派生するものである。これらの「行動」は、「服従」と「反逆」のふたつのカテゴリーに分けることができる。

〈親との関係における私の行動パターン〉

服従のパターン

1. 私は自分がどう感じているかにかかわりなく親のいうことに従うことがよくある。
2. 私は自分が本当はどう考えているか親にいわないことがよくある。
3. 私は自分が本当はどう感じているか親にいわないことがよくある。
4. 私は親とうまくいっていない時でもうまくいっているように振る舞うことがよくある。
5. 私は親と一緒の時には表面的に合わせているだけで、〝ニセ者〟になっていることがよくある。
6. 私は親との関係において、自分の自由な意思ではなく後ろめたさや恐れから行動していることがよくある。
7. 私は親を変えようと一生懸命努力している。
8. 私は親に私の考えを理解させようと一生懸命努力している。
9. 私は両親が争っている時に仲を取り持とうとすることがよくある。
10. 私は親を喜ばせるために自分を犠牲にすることがよくある。
11. いつも家の秘密を守るのは私の役目である。

反逆のパターン

12．私は自分が正しいことを示すためにいつも親と口論する。

13．私は自分には自分の考えがあることを示すために、いつも親が気に入らないとわかっていることをする。

14．私は親が私をコントロールできないことを示すためには大声でわめいたり毒づいたりする。

15．私は親に暴力を振るわないよう自分を抑えつけなければならないことがよくある。

16．私の我慢はもう限界を越え、親とは縁を切った。

これらの「行動」パターンのうち、ふたつ以上が当てはまる人は、いまだに親のことが人生の大きな問題となっているといっていいだろう。服従的な行動が子供の精神的独立を阻《はば》んでいることは容易にわかるが、すでに何度かくり返したように、反逆的行動に出るのもやはり自己を相手にからめ取られている証拠であるということはなかなかわかりにくい。攻撃的な態度を取るということは自分が依然として相手にからめ取られているということなのである。それは、行動に激しい感情をともなっていること、同じパターンの行動がいつもくり返されること、その行動は予測がつくこと、その行動は自分の自由な意思による選択の結果ではなく、自分が独立した存在であることをなにがなんでも証明しなくてはならないためであること、などからよくわかる。服従的であることと攻撃的なことは同じコインの両面にすぎない。

チェックリストへの反応

この章で示した三つのリストを使って自分をあらためてチェックしてみると、自分と親が心理的にどういう関係にあるのか再発見できて驚く人も多いかもしれない。第五章に登場した五十二歳になる元モデルのインテリアデザイナーは、このリストを使って自分をチェックしたところ、その年齢になってもまだ自分の人生が圧倒的に親にからめ取られたままであることを発見して愕然《がくぜん》となった。彼女は、いったいいつになったら親が問題を理解し、態度を変えてくれるだろうかと思っていた自分にやっと気がついたのだ。

彼女が想像した通り、おそらく彼女の親は変わることはないであろう。だが親は変われなくても、あなたは変わることができる。「毒になる親」との有害な結びつきを払いのけるための第一歩は、いったい何が、彼らをあなたに対してそう〝強く〟しているのかを理解することだ。

自分の状態に気づくと、怒りもあらわにただちに親と対決しようとする人も多いが、もしそのような衝動が生じたら踏みとどまるほうがよい。衝動的な行動は絶対によい結果をもたらさない。感情的になっている時には対決的な行動は避けるべきである。その理由は、目の前のことにばかり考えが集中してしまい、判断力が鈍っているからだ。

時間はあるのだから、せいていますぐ行動に出るのではなく、まずはじめにすべきことは、これからの計画をたてることだ。この章で述べたことは、本書の目指しているゴールへ向けての長い旅のはじまりの第一歩にすぎない。まだまだ通り抜けなくてはいけないことはたくさんある。

いままでの人生ですでに身についてしまっている生き方のパターンは、それがよくないからといってもそう簡単にすぐ変えられるものではない。まずは有害な「考え方」と自滅的な「行動」を変えることから挑戦をはじめるべきだ。だが、本来の自分を回復するには、自分がいったい何者なのかをよく知る必要がある。

第十一章　自分は何者か——本当の自分になる

親（やそのほかの人たち）の要求や意向に影響されず、自分自身の考えでものを考え、自分自身の感覚でものを感じ、自分自身の意思で行動している時、あなたは本当の自分になっている。だがその時には、もしあなたの考えや行動を親が気に入らなければ、あなたはある程度の不快を我慢しなくてはならない。また、もしあなたが親の望むように自分を変えようとしなければ、今度は彼らがあなたに対して抱く不快感を、あなたは我慢しなくてはならないことになる。また、あなたの考えが親と同じだったり、行動が結果的に親の望むことと同じになったとしても、それはあなたが自分の意思で選択をした結果たまたまそうなったのであり、親の意向に賛成するのも反対するのも、はっきりとした自分の意思で自分が選択した結果でなければならないということである。

「本当の自分でいる」ということは、人の気持ちを踏みにじったり、自分の行動が人に及ぼす影響を無視することではない。だが、それは同時に、他人が自分の気持ちを踏みにじって勝手なことをするのを許すことでもない。つまり、他人の気持ちを思いやることと自分を大切にすることとは、常にバランスが取れていなくてはならないのである。

もちろんそうはいっても、常に百パーセント本当の自分でいられる人はない。人間は社会的な生き物であり、他人の同意などまったく必要ないということはあり得ないからだ。感情的に他人にまったく依存していない人もいないし、そうなりたいと思う人もいないだろう。人とオープンにつき合っていくには、ある程度の相互依存は必要なのである。したがって「本当の自分でいる」ことには柔軟さがともなわなければならないのは当然である。そういう意味では、親のために何かを妥協したからといって悪いことはひとつもない。大切なのは、なんとなく押し切られて、本当はいやなのにそうなってしまったというのではなく、自分の自由意思で選択してそうなったということである。それはつまり、自分に誠実であるということだ。

自分に誠実であることと利己主義は混同されやすく、多くの人は利己主義だと言われたくないために、自分に誠実になることに二の足を踏む。親に対する過剰な義務感を背負っている人というのは、自分が利己主義でないことを証明するのがあまりにも重要なことになっているため、自分が本当に必要としていることを親の要求の下に埋めてしまっているのである。そのような態度でずっと生きてきた人は、大人になってから子供時代を振り返ってみると、自分が本当にやりたいことをしたという思い出がほとんどなく、そのために長いあいだに心の奥にたまった怒りと、心から充実した気分になったことがないという事実が、しだいにうつ病やかんしゃくとなってあらわれてくる。

ほとんどの人は、人に脅威を感じたり自分が攻撃されたと感じると、相手のいうことをろくに聞かずに反射的に反応する。この「反射的で自動的な反応」は、相手が恋人であろうが上司や友人であろうがだれに対してても起きるが、たいていもっとも激しく起きるのは親に対してである。

だが、「反射的で自動的な反応」をしてしまう時、あなたは相手が承認してくれるかどうかに依存している。なぜかというと、そういう状態の時、あなたが気分をよくしていられるのは、だれもあなたに反対も批判もせず、みんながあなたを認めてくれている場合だけだからである。その時あなたの感情は、それを引き起こすもとになった出来事と比べてまったくつり合いが取れていない。ちょっとした助言が悪口に聞こえ、建設的な批判が個人的なこき下ろしとなってしまう。人が賛成してくれないと、最小限度の心の安定すら維持するのは大変なことになってしまうのである。

「反射的で自動的な反応」というのは、例えば母親から自分の生き方についてあれこれ言われるたびにカッとなったり、父親の声を聞いただけでイライラしたりするというようなことだ。相手に対して感情が自動的に反応してしまうのを許しているということは、自分に対するコントロールを失っているということであり、言葉を換えれば、自分の感情は相手しだいでどうにでもなってしまうということになる。それはつまり、自分の感情をコントロールする力を相手に与えてしまっているということだ。

「反応」と「対応」の違い

「反応」するのと「対応」するのでは、言葉は似ているが大きな違いがある。「反応」が自動的で反射的であるのに対し、「対応」している時、あなたは感情がわき起こっていると同時に〝考えて〟いる。そしてその感情が起きていることを自覚しており、それに突き動かされて衝動的な言動をすることがない。

そのように行動できるようになれば、たとえ親からどのようなことを言われても、自分に対する自尊心を失うことがなく、簡単には動じないようになる。そうなれば物事を正しく把握して合理的に見る力が感情によって邪魔されることがなくなるので、計り知れない恩恵がもたらされる。相手に対処するうえで自分が取れるさまざまな選択の道をすべて見渡すことができるようになり、自分の人生のかなりの部分に対するコントロールを取り戻すことができるようになるのである。

習慣化している行動のパターンを変えるというのはだれにとっても簡単なことではないが、常にそのことを忘れず、あきらめずに続ければ、不可能ではない。そのためには、ひとりで努力しているよりセラピーを受けて練習するほうが効果的だ。そこで主に使われるのは「ロール・プレイ」という方法で、被治療者同士のグループで、またはカウンセラー（セラピスト）が相手になって、自分や親などの役をお互いに演じながらやりとりの練習をするのである。これは「心理劇」とも呼ばれ、対話だけの受け身の治療ではなく、被治療者が積極的に行動訓練に参加するアクティブな方法である。この方法を使うと、自分の態度や言動についてそれまで気がつかなかったことが驚くほどたくさん発見できる。どのような論争でもよく陥るパターンは、自分を防衛するために相手に対して攻撃的になってしまい、争いがエスカレートするというものである。「ロール・プレイ」をやってみるとそれがよくわかり、そうならない対応の仕方を練習することができる。

自分を防衛するために相手を攻撃しない

こういうことは子供の時から学校などで学ぶことはないので、大人になってから身につけるのはなかなか難しい。意識的に学び、くり返し練習するしか方法はない。ほとんどの人は、人と衝突すると、自分を防衛するためについ相手に対して攻撃的になってしまう。そうしなければ相手はそれにつけ込んでますます攻め込んでくるだろうと考えるからである。だが事実はその反対だ。冷静さを失わないまま、譲らないところは譲らないという態度こそ強さを保持できるのである。

「毒になる親」と向かい合って話をするために絶対に身につけていなければならないのが、この「自己防衛的にならない対応の仕方」である。これこそが、「争いのエスカレート」というまったく無意味であるにもかかわらずだれもがくり返す悪循環を断ち切ることのできる唯一の方法なのである。

その対応の例をいくつかあげればつぎのようなものだ。

- **「ああ、そうなの」**
- **「なるほど」**
- **「それはおもしろい考えだね」**
- **「あなたがどういう意見を持とうと、もちろんあなたの自由ですよ」**
- **「あなたが賛成してくれないのは残念ですが」**
- **「それについてはもう少し考えさせてください」**
- **「これについてはあなたがもう少し冷静な時に話しましょう」**
- **「がっかりさせて申し訳ないけど」**
- **「あなたが傷ついたのは気の毒だけど」**

こういう対応の仕方を身につけるには、まずはじめはひとりで練習することからはじめる必要がある。部屋のなかにひとりで座り、そこに親（その他対象となる人物）がいると想像する。そしてその親があなたを批判したり何かひどいことをいっているさまを想像してみる。あなたはきっと、その言葉や声までも、実際に言われているように頭のなかで再現できるに違いない。

つぎにその相手に対して、例にあげたような「自己防衛的にならない対応の仕方」で対応してあなたの返答を声に出していってみる。その時には、論争しようとしたり、いい訳を言おうとしたり、自分のことを説明しようとしたり、相手を説き伏せて考えを変えさせようとしたら、その瞬間にあなたは自分の持つエネルギーを相手に渡してしまうことになるということを忘れないでほしい。「自己防衛的にならない」で答えるということは相手に何も求めていないということであり、要求していない以上、相手は何も拒否することはできないのである。

しばらくこの練習をしてみて、ある程度冷静さを保つ自信ができたら、つぎは、だれかと意見が合わない状況になった時にこのテクニックを使ってみる。それには同僚とか普通の友人など、あまり感情的な結びつきが強くない相手がよい。はじめは不自然でなんとなく落着かず、ついフラストレーションに陥って、いつものように自己防衛的な反応をしてしまうかもしれない。だが、新しい技術というのはなんでも同じことで、うまくいかないことを恐れずに辛抱強く練習する以外に習得する道はない。そのうちに、特に意識しなくても自然にできるようになってくるだろう。

自分をはっきりさせる

反射的に反応してしまうのを防ぎ、自己防衛的になって相手を攻撃しないようになるために大切なもうひとつのことは、相手に対して自分をはっきりさせるということだ。そのことがひいては「自分は何者なのか」を知る道につながるのである。自分をはっきりさせるということは、相手に対して自分の信じていること、自分にとって重要なこと、やる意志のあることとないこと、話し合う余地のあることとないこと、などをはっきりさせるということだ。だがそのためには、まず自分に対して自分をはっきりさせておかなくてはならない。

例えば、親の要求に対して自分は本当はどうしたいのか。正直なところ、「要求に従うのはいやだけど、でも親の気分を害したくはないし、……どうしたらいいのかわからない」というのがよくあるパターンだ。このジレンマは、子供の時からいまに至るまで、親のために必要以上の責任を負わされてきた人に多く見られる。これまで自分をはっきり示す機会がほとんど与えられたことがなかった人にとって、いま急にそうしようとしてもなかなか難しいことだが、これができないことには先に進むことはできない。だが、これも練習によってできるようになる。

自分の意思で選択していることを確認する

人に対して自分をはっきりさせることができないのは、自分の弱さのためだと考える人は多い。けれども、「自分にはできない」と思っているのは、実際には「できない」のではなく、「しないでいること」を選択しているのである。

「自分にはできない」という考えは、そう思った瞬間に自分を縛ってしまう呪文《じゅもん》のようなものだ。実際には自分の意思で「しないでいる」のだということをはっきりと自覚してほしい。選択してそうしているのか、それともそうでないのかのふたつには、大きな違いがあるからである。

例えば、自分が相手にからめ取られている時には、自分の意思による選択はない。逆にいえば、選択できないということは相手にからめ取られているということである。子供の時には自分の意思で自分のことを選択する余地はあまりなく、選択肢は親によって支配されている。親の問題を抱えている人というのは、その状態が大人になっても相変わらず続いている人なのである。「できない」と言うのではなく「しないと選択する」と言えるようになった時（もちろん言い訳ではなく）、未来へ通じるドアが開かれる。

なかには、「それは単なる〝言葉のあや〟にすぎない」と言う人もいるかもしれない。どう表現しようが、「できない」のは敗北であることに変わりはないではないかというわけである。だが、他の選択肢をすべて検討し、他には選択の道がないと知ったうえで（例えば、自分にはまだ闘う準備ができていないなど）従うのと、言われるままに自動的にいいなりになるのとでは、大きな違いがある。自分で選択するということは「自分は何者か」を知るためのカギである。

いますぐ親に対してはっきり自分を示すことができない人も、子供の時からのパターンでずるずるとそうしているのと、自分の意思で「いまのところはまだうまくできないから、そうしていよう」と選択してそうしているのとでは大きく違う。自分の意思で選択するのは自分をコントロールする力を取り戻すための第一歩である。

親との会話で実行する

「自己防衛的にならない対応」が親以外の人とのやりとりでうまくできるようになったら、つぎはいよいよ親を相手に試してみる時だ。だが、ほかの人との練習ではうまくいっても、実際に親と向かい合った時に冷静さが保てるだろうかと心配な人も多いだろう。「毒になる親」は子供の感情を支配することに慣れており、子供は大人になっても自動的かつ反射的に反応することが条件反射のようになっている。それに、もしうまくやれたとしても、親は思い通りにならないので怒り出すかもしれない。

だが、それに対する私のアドバイスは、「かまわないからやりなさい」だ。もしここまでの段階の練習が十分できているのなら、実行するのは早いほどよい。この小さな最初の第一歩を踏み出すのをためらって、「どうしようか」と考えているだけでは、不安は増すばかりだ。あなたがもしすでに大人になっているのなら、自分が自分でいるためには、必要なら不快感をもこらえることができると信じなくてはならない。

はじめから感情的になりそうな一件を持ち出す必要はない。「自己防衛的にならない対応の仕方」で自分の考えをはっきりさせる練習には、例えば服装や料理についてなど、あまり重要でない日常会話から慣らしていけばよい。そして機会があるごとに自分の考えや意見を表現するようにするのである。例えば、「あなたは間違っている。あなたは利己主義でよくない」と言うかわりに「それはちょっと賛成できないな。利己主義になるのは自分のためによくないと思うよ」という言い方をすれば、相手に挑戦しているのではなく自分の意見を述べていることになる。このように対応することによって、相手の感情的な反応の程度を少しでも低くすることができる。

さらに、もう少し自信があれば、もう少し大きな問題について話してみてもかまわない。そして、あまり重要でない話題の時と同じように、「自己防衛的にならない対応の仕方」をしながら、冷静さを保ったまま、自分は彼らのためにどこまではできてどこから先はできないかという限界をはっきり示す。

とはいえ、「毒になる親」を持つ人は、現実問題としてもっと悲観的にならざるを得ないかもしれない。たとえ自分が感情的に反応せずに冷静に対応できたとしても、親の感情的な反応が変わるとは思えないからである。実際、私の説明に対して、はじめは「そんなことをしても効果ないですよ」と言う人は多い。

だが、ここで理解しておかなければならない大切な点は、この方法は、相手にではなくてあなたに効果があるということである。**相手が変わるか変わらないかは重要なことではない。大切なのはあなたが変わることであり、あなたは相手の反応がどうであるかには無関係に、自分の力だけで過去のパターンから変わっていくのである。**その結果相手の態度が変わればそれはそれでよいし、もし変わらなくても、力のバランスは冷静さを保っているあなたのほうへ傾いてくる。

このように、自分をはっきりさせ、反射的に反応するのではなく冷静に対応し、自分の考えや感じていることを相手にはっきり伝え、受け入れられることと受け入れられないことの限界をはっきり示すことができた時、あなたと親との関係は変わらざるを得なくなっていくだろう。

第十二章「怒り」と「悲しみ」

すべての人間が幸せな子供時代を過ごせていたら素晴らしいことだ。だが、もしあなたがそうでなかったとしても、すでに過ぎ去った過去を変えることはできない。カウンセラーとしての私にできることは、苦痛に満ちた子供時代を送ることを余儀なくされながらその責任の所在について誤解している人に、真実に目を向け、認識を転換できるようお手伝いをすることだけだ。この認識の転換は、そのような人が人生を自分の手に取り戻すためにはどうしても行わなくてはならない必須のことである。なぜなら、子供時代に起きた出来事の責任がだれにあるのかという事実について正直に認識することができないかぎり、その人の心が本当に晴れることは一生ないからである。そして、その状態が続くかぎり、羞恥《しゅうち》と自己嫌悪が消えることはなく、その人は永久に自分を罰し続けることになってしまう。

自分に合ったペースで

第十章と第十一章で取り扱ってきたことは、主に頭で考えることが中心で、新しい考えを探索し、真実を読みとり、理解することが目的だった。この第十二章と第十三章では、直接感情を取り扱う作業に進んでいく。それゆえ、ここからは先を急がず自分に合ったペースで進めることがいっそう大切になってくる。自分の感情に正直に取り組むというのはとてもつらい作業になることもあり、無意識のうちに口実を見つけて逃げようとしてしまうことがあるからである。

これから先の章を読み進めて気分が落ち着かなくなったり、不安感が増したり、感情が高ぶってくるようであれば、ペースを落として数日間の休憩を取ってもかまわない。だが、あまり休んでばかりいるようであれば、休憩にはタイムリミットをもうけなくてはならない。

怒りや悲しみなどの強い感情を抱えている人は、ひとりだけで問題を解決しようとしているよりも、サポートグループやカウンセラー（セラピスト）など外部の助けを借りたほうが確実な効果が得やすい。親友や恋人、配偶者などの人生のパートナーも助けになってくれるには違いないが、彼らにはあなたの強い感情を取り扱うのは手に余るかもしれない。そういう人には本書を一緒に読んでもらい、あなたが通り抜けようとしているものが何なのかを理解してもらうとよい。

責任は親にある

これについてはすでにもう何回も書いたが、その重要さについては何回強調してもしきれない。なぜなら、このことは頭では理解できても、その認識が体の奥にまで染み込むのはたやすくはないからである。

くり返すが、子供時代に親によってもたらされたつらくて悲しい出来事について、子供だったあなたには責任がない。あなたはそのことをはっきりと認識し、もしまだ自分に責任があるように感じているなら、責任は負わなければならない人間が負うべきものであることを心の底から理解しなければならない。つぎに示すのは、そのための練習である。

静かにひとりだけになれる時間を作り、子供時代の自分を心に思い描いて話しかけてみてほしい。当時の自分の写真があれば、それを見ながら対話すればさらに効果的かもしれない。そして声に出して、「きみには……についての責任はない」と語りかける。この「……」の部分には以下のような文章がくる。自分にあった文章を当てはめてみてほしい。

1. 親がきみのことを顧《かえり》みず、放置して粗末に扱ったこと。
2. 親がきみのことを愛する価値がない人間のように扱ったこと。きみが親に愛されていないと感じたこと。
3. 親から残酷な言葉や思いやりのない言葉でからかわれたこと。
4. 親からひどい言葉で口汚くののしられたこと。
5. 親自身の不幸。
6. 親が自分で抱えている問題。

7. 親が自分の問題について何もしなかったこと。
8. 親がアルコール中毒であること。
9. 親が酔ってしたこと。
10. 親がきみに暴力を振るったこと。
11. 親がきみに対して性的な行為をしたこと。

このほかにも、くり返し体験した苦痛に満ちた出来事があれば、リストにつけ加えてみてほしい。

これを十分行ったら、つぎは本当に責任がある人間はだれなのかをはっきりと認識する練習をする。それには「私の親は……に責任がある」とはっきり声に出して言う。この「……」の部分に、同じリストの文章から自分に当てはまるものを入れてみてほしい。ほかにも自分に当てはまることがあればつけ加えるのは同様である。

なぜこのようなことをするのかというと、このことは頭ではわかっていても、その理解に対して感情的にも抵抗がなくなるまでになるには時間がかかるからである。したがって、心の底から抵抗なくこの事実がいえるようになるまで、この練習は何度もくり返す必要がある。

親に悪意はなかったと思える場合

親が折檻《せっかん》などはっきり虐待とわかる行為や性的な行為をしたわけではなく、心身に病気があったり、自分の問題で頭がいっぱいになっていて、すべき義務を果たせない〝ダメな〟親だった場合、または子供のためを思ってそうしたのだと主張している場合には、この練習をするには抵抗があるかもしれない。

自分の親が親としての義務を果たしていなかったことを知っていても、それがうつ病など心の障害のためだった場合、子供は親が苦しんでいたことに同情してしまうのが普通であろう。結局のところ、私たちの親の世代というのは、親としての正しい姿とか人間の心の問題について、勉強しようにも機会はほとんどなかったのである。四十年前にはセラピーなどというものも一般的ではなかったし、家庭の問題に心理学者の助けを借りようとする人も、そのための方法もほとんどなかったのだ。また、親として機能していない親というのは消極的な人間であることがあり、そのため子供から見ても哀れに見えてしまうということもあるだろう。親に悪気はなかったのだと子供が考えてしまっても無理はない。

おそらく、ほとんどの場合は、そのような親に悪意はなかったのだろう。だが、ここで親に悪意があったかなかったかを議論するのは意味がないことなのである。ここでは意図がどうだったのかではなく、結果がどうだったのかに注目しなくてはならない。義務を果たさない親によって結果的に子供が苦しめられているのであれば、そこに悪意があったかなかったかを論じるのは的がはずれている。親としての義務を果たさなかった親は、したこととしなかったことの両方の面で責任を負わねばならない。

一方、暴力を振るう親に折檻されるなどして子供時代に痛めつけられた人間も、大人になってから親の責任をなかなか指摘することができないことが多い。そういう子供は、自分の家は〝いい家〟であるという虚像を信じたいがために、「悪いのは親ではなく自分なのだ」という意識をなかなかぬぐい去ることができないということを思い出してほしい。この意識は、親から暴力で虐待された子供が大人になってから示す事実上ほぼすべての自滅的な行動パターンの根底に横たわっている。

「怒り」の管理

「怒り」は非常に不安定な感情であり、いつも腹を立ててばかりいる人もいる一方で、心のなかの怒りをうまくあらわすことができない人もいる。また、「怒る」ということは恐ろしいことでもある。激高したら自分をコントロールできなくなるかもしれないし、人を傷つけてしまうかもしれない。長いあいだ抑えつけてきた怒りをひとたび噴き出させたら、止まらなくなるかもしれない。こういう恐れはだれにとっても非常に現実的なものである。だが、事実を述べるなら、もし怒りを噴き出るにまかせたら起こるに違いないと恐れているようなことは、怒りを噴き出させなくてもいずれ起きる可能性が非常に高い。

抑えがたい大きな怒りを無理やり抑えつけている時、あなたの心はうっ積し、イラついて、あなたは間違いなく人と摩擦を起こす。怒りとは、うまく管理していないかぎり、必ず本人に害を与えるものなのだ。

「毒になる親」に育てられた子供が、大人になってから怒りをうまく扱うことができなくなる理由のひとつには、彼らの育った家庭では子供が感情を自由に表現することが許されていなかったということがある。その家で怒りをあらわす特権を持っていたのは親だけだったのだ。

そういう子供は小さなころからみじめな思いに慣らされているので、子供のころに自分の家では普通と違うことが起きていたことについてぼんやりとした記憶しかないことも多い。だがほとんどの場合、内面に抱えている怒りに気づいていないだけなのである。

そういう人間が怒りをどう扱っているかというと、おそらくつぎのいずれかであろう。

1. **怒りは心の奥深くに押し込まれ、うつ病や身体的な病気を引き起こしている。**
2. **怒りはその人の内部で受難と犠牲の悲壮な精神に転換されている。**
3. **アルコールや薬物の力を借りて、あるいは大食いやセックスで怒りを麻痺《まひ》させている。**
4. **ことあるごとに怒りを爆発させ、いつも緊張し、フラストレーションに満ち、疑り深く、なにかというと人と口論する。**

だが残念ながら、こういう状態になっていてもその人の問題は何ひとつ解決することはない。怒りはもっと違う方向に注いで、自分をはっきりさせ、受け入れることができることとできないことの限界を示すために使ったほうが有益である。そのために怒りを管理する方法をいくつかあげてみよう。

1. 怒りが起きたら、その感覚を嫌がらず、自分が怒っていることを自分に対して許してやる。怒りが感情のひとつであることは、喜びや恐れがそうであるのとなんら変わるところはない。感情というのは正しいとか間違っているとかいうものではなく、ただそういうものがそこに存在しているという事実があるだけなのである。それはあなたの一部分であり、あなたが人間であることの証拠なのだ。

怒りはまた、あなたにとって何か重要なことを知らせてくれるシグナルでもある。それは、あなたの権利が踏みにじられた、あなたは侮辱された、あなたは利用された、あなたのニーズが満たされていない、などかもしれない。また、怒りは何かが変わらなくてはならないことを常に意味している。

2. 怒りは内面にためておかないで外に出す。とはいえ、もちろん人にぶつけるのではない。怒りを表現するためには、人に乱暴したりののしったりする必要はないのである。

枕を思いっきりたたく、怒っている相手の写真があればそれに向かって大声でわめく、車のなかや家でひとりの時に叫び声をあげる、または相手が目の前にいると想像して言いたいことを言う、などをして、とりあえず外に出す。これらは代替行為ではあるが、身体にたまった怒りを消散させるのに効果があり、心理学的治療でも実際に使われている。また、あなたがどれほど怒っているかについて、信頼できる友人と語り合うのもいい。とにかく怒りというのは外に出してからでなければ処理することはできないのである。

3．スポーツや運動など、身体的活動をする。体をよく動かすことで筋肉をほぐすと、心にたまった怒りもほぐれてくる。スポーツクラブに通うのでも、テニスでもジョギングでも自転車でもなんでもよい。それができなければ部屋の大掃除でもディスコに踊りにいくのでもよい。活発な身体的活動はエンドルフィンという脳内麻酔物質の分泌を増加させ、これが心の安定に寄与するのである。

4．怒っている時には、そのことをはっきりと自分に対して認めたほうがよい。そのほうがエネルギーが増し、建設的になれる。その反対に、怒りを心の奥に抑えつけているとエネルギーは渋滞して低下してしまい、何もやる気が起きなくなる。

怒ることで自分のネガティブな自己像をさらに拡大しないようにする。特に、親に対して強い怒りを抱いた時に罪悪感を感じることはよくあるので、そういう時には「私は怒

っている。私には怒る権利がある。怒ることで罪悪感を感じても少しもかまわない。このように考えたからといって、私は悪い人間でもないし間違っているのでもない」と声に出して言う。

5. 怒りは自分がどんな人間であるかを自分に対してはっきりさせるために使うことができる。怒りは自分について学び、親（あるいはどんな人でも）との関係においてどんなことは受け入れられ、どんなことは受け入れられないかを知るためにたくさんのことを教えてくれる。つまり、自分の許容できることの範囲を決めるのを助けてくれるのである。怒りはまた、親のいいなりになったり、親がいいと言ってくれないことを恐れる気持ちに陥ることから自分を解放する力を与えてくれる。怒りは、親の考えを変えさせようとする達成不可能な闘いに自分のエネルギーを浪費することから転換し、再び自分のものとして使えるようにするのを助けてくれる。

怒りを管理できるようになることは、将来親とはっきり〝対決〟する時（第十三章を参照のこと）のための非常に重要なステップである。その時がくるまでは、コントロールできない怒りを爆発させるような場面は避けたほうがよい。

だれにとっても、怒りというのはコントロールが難しい感情だが、特に女性は、泣き悲しんだり優しさをあらわすことはかまわないが怒りをあらわにするのはふさわしくない、という意識が一般にある。怒りを心の奥にため込んだ女性が、自分に代わって怒りを表現して行動してくれる男性に惹かれることがよくあるのはそのためだ。代理を使って自分の怒りを放出し、うっぷんを晴らすわけである。だが残念なことに、そういう男性はすぐ腹を立てやすく、女性をコントロールしたがったり虐待するタイプが多いのである。

怒りとうまくつき合っていくことは、心身の健康には不可欠である。自分の怒りとあらためて対面したことのない人は、はじめはまごつくかもしれないが、あせらずに辛抱強く練習してほしい。怒りというのは、ひどい扱いを受けた時にはだれにでもわき起こる自然な感情なのである。「毒になる親」に育てられた子供が、大人になってから普通の人よりも大きな怒りをため込んでいるのも不思議はない。

「深い悲しみ」の処理

「怒り」はすぐ表現できても、心の奥深くに潜む「悲しみ」を認めようとしない人は多い。特に男性は、弱々しい男に見られたくないという心理があるため、その傾向が強い。だが「悲しみ」というのも何かを「失った」時に生じるノーマルでかつ必要な感情だ。「失う」といっても、親しい人が命を失ったというようなことばかりではない。例えば、子供時代につぎのようなものを「失った」場合もそうだ。

- **自分自身に対していい気分でいられる状態**
- **安心感**
- **信頼感**
- **喜びや、自然にしていられる状態**
- **子供の心をはぐくみ尊重してくれる親**
- **楽しい子供時代**
- **無邪気さ**
- **愛情**

したがって、自分の悲しみと嘆きは何なのかを正確に知るためには、自分の失ったものは何かを知る必要がある。そして、そのことが自分に及ぼしている影響を取り除くためには、その「悲しみ」をじっくりと深く感じ取り、正しく取り扱わなくてはならない。

「怒り」を感じ取る練習をしている時に、同時に「深い悲しみ」の存在に気がつくことがある。怒りと悲しみは密接にからみ合っており、このふたつは、お互いをともなわずに存在することはほとんど不可能に近い。

あなたはこの練習をはじめるまで、自分がいかに多くの精神的なものを失ってきたか気がついていなかったかもしれない。「毒になる親」に育てられた人間は、ほぼ毎日のようにこれらの「喪失」を体験しているのだが、その事実を無視したり、心の奥深くに押し込んだりしているのである。これらの「喪失」を体験することによって、その人は自尊心の面で大きな代償を支払わされているのだが、ほとんどの人はなんとかして嘆き悲しむことを避けようとする。

だが、避けていても「悲しみ」は遅かれ早かれまた戻ってくる。多くの人はこれらの「喪失」を体験した時に嘆き悲しむことを拒否するが、それは〝強く〟なければいけないとか、自分がしっかりしてだれかの世話をしなければならないと感じるためである。だがしばらくすると、そういう人はみな例外なく崩れ去る。それは何年も先になってからのこともあるが、その時にはごく小さなことで絶望的になったりする。

「強い怒り」と同じで、「深い悲しみ」も十分に感じ取って十分に嘆き切った後でないと心が回復をはじめることはできない。「嘆き悲しむ」プロセスにはいくつかの段階があり、人間の心はこのプロセスを順番に通過していかないと癒《い》えることはないのである。「嘆き悲しむ」ことを避けていると、「深い悲しみ」はいつまでもなくなることはない。

嘆き悲しむプロセス

嘆き悲しむプロセスは、まずその原因となる出来事に接した時の「ショック」、そのつぎに「激しい怒り」、そして「信じられないという気持ち」、それから「悲しみ」へと進む。

「悲しみ」の段階の最中では、永遠にその状態は終わらないのではないかと思えることもあるかもしれない。

「怒り」の場合とは逆で、一般的に言って、ほとんどの男性は嘆き悲しむのは男として恥ずべきことだと感じている。世間一般でも、男性が悲しみや心の痛みを表現するのは、怒りや攻撃性を示すことより受け入れられにくい傾向があるのは事実である。だがそのために、多くの男性は心身の健康に大きな代償を払っている。

それゆえ、男性は自分をごまかさずに〝深く嘆き悲しむ〟練習をするとよい。強がらずに事実を見つめ、受け入れるのである。それにはつぎのような方法がある。つぎの言葉を声に出して言ってみてほしい。

私は、いつの日か自分の家が幸せな家庭になってくれたらという幻想を、いまここに捨てる。私は、もし親があああではなかったら、もしこうだったなら、などという希望や願望を、いまここに捨てる。私は、子供の時に親を変えるために何かできたのではないかという幻想を、いまここに捨てる。私は、愛情ある素晴らしい親を持つことは永久にないであろうということを、いまここにはっきりと自覚する。私は、そのような親を持てなかったことを、深く悲しむ。だが私は、この現実をそのまま受け入れる。そして私は、すべての幻想には永遠に、そして心静かに、別れを告げる。

このような言葉を自分に対して言うことには、抵抗を感じる人も多いことだろう。それは、こんなことを言うのは自分を哀れんでいるような気がするからだ。だが、これは自己憐《れん》憫《びん》とは少し違う。自己憐憫とは、自分を哀れむあまり何もできなくなっている状態のことである。自分を哀れんでいる人は、心のどこかで、だれかがなんとかしてくれないだろうかと感じている。それは自分の責任を逃れようとしていることでもあり、勇気のない状態である。だが、「深く嘆き悲しむ」というのは、前進できなくなっている状態から脱出するためのプロセスであり、自分を癒し、抱えている問題に対して現実的な対応を可能にするための行為である。

多くの人は、深く悲しむことと自己憐憫とを混同し、自分を哀れんでいるように見られたくないために嘆き悲しむことを避けようとする。だが、怒りと同様、内面に抱える大きな悲しみは、静かに感じ取ってから表現することによって外に出してやらなければ、いつまでも自己破壊的な行動の原因となり続ける。

人生は止まらない

心のなかの「悲しみ」と正直に取り組むことは、あなたの現在の状態を変えるためには欠くことのできないこととはいえ、その作業をしているあいだも人生は止まってはくれない。

日常生活は毎日変わらずに続き、仕事そのほかの人間関係における責任もある。強い怒りと悲しみはうまく管理していないと、そういう日常生活に支障を生じるので、この時期は特に自分を大切にする必要がある。

一日中考え込んでいる必要はないのだから、意識的に遊びに出かけたり趣味を持つなどして楽しい時間を過ごすよう心がける。もうひとりの自分になったようなつもりになって、苦しんでいる自分に語りかけてあげる。親身になってくれる人のサポートがあれば、遠慮しないで受ければよい。話ができる友人がいれば会って話をすればいい。どんなことでもよいが、大切なのはひとりで考えているのではなく、行動することだ。

とはいえ、親しい人たちならみなあなたの話を快く聞いてわかってくれるとはかぎらないことも覚えておいたほうがよい。多くの人は自分自身の子供時代に心が傷つけられた「悲しみ」と取り組んだことがないのである。いくら親しくても、あなたの悲しみについて耳を傾け理解する余裕はないというのもあり得ることだ。

「悲しみ」も止む時がくる

大きな悲しみもいつかは消える時がくる。それまでには時間がかかるが、それは漠然とした長さではない。かかる時間は、自分が失ったものについての事実を寄せ集め、現実を受け入れるまでの長さである。それは、過去の痛みから現在を生まれ変わらせ、ポジティブな未来へ向けてエネルギーの方向を変えるまでの時間といってもよい。大きな傷も、いずれはいくつかの小さな痛みに分かれていく。「自分が失ったものについて自分には責任がない」と確信できた時、悲しみは癒えはじめるだろう。

自分の責任を取る

責任は負わなくてはならない人間に負わせる、つまり、子供の時の不幸は親の責任だと確信できたとしても、だからといって、大人になった後も自分の自己破壊的な行動のすべてが親のせいだということにはならない。子供の時のあなたにはいっさいの責任はなかったが、その事実は、いまでは大人になっているあなたから自分に対する責任を免除するものではないのである。

つぎにあげるリストは、現在は大人であるあなたが、親との関係において果たさなくてはならない責任について考えるのに役立つであろう。声に出して「大人である私には、……に責任があります」といってみてほしい。

1．親から独立したひとりの人間になること。

2．親との関係を正直に見つめること。

3．自分の子供時代について、目をそらさずに真実を見つめること。

4．子供時代に起きた出来事と、大人になってからの人生とのつながりについて、認める勇気を持つこと。
5．親に対して本当の感情を表現する勇気を持つこと。
6．現在親が生きていようが死んでいようが、彼らが自分の人生に及ぼしている支配力とはっきりと対決し、それを減少させること。
7．自分が人に対して残酷だったり、人を傷つけたり、人をこき下ろしたり、人の心を操《あやつ》ったりするような行動を取ることがある場合には、それを改めること。
8．親に負わされた傷を癒すため、適切にサポートし援助してくれる人たちを見つけること。
9．大人としての自分の力と自信を取り戻すこと。

これらの事項は、それに向かって努力するための目標であり、いますぐすべてができることを期待するべきではないということも覚えておいてほしい。努力しているあいだにも、古い行動や考え方のパターンに逆戻りしてしまうことは何度かあるだろう。こんなことは無駄だとやめたくなることもあるかもしれない。

けれども、時どきコースから外れることは当然あると思っていたほうがいい。これはプロセスであり、いますぐ完全にできないのはあたりまえのことなのだ。だが、項目によって難易度に差があるかもしれないが、これらのことは最終的にはすべて達成可能である。

そのゴールとは、あなたの心のなかにいまでも住んでいる傷ついた小さな子供を、永遠の処罰から解放することなのである。

第十三章　独立への道

第十章から第十二章までの三つの章で考察し練習してきたことは、すべてこの第十三章で行うことのための準備だった。準備を終えたら、いよいよ「毒になる親」と正面から向き合い、〝対決〟する段階に入る。ここでいう〝対決〟とは相手をやっつけるという意味ではなく、十分に考えたうえで勇気をもって正面から向き合い、苦痛に満ちた過去と困難な現在についてはっきり話をするということである。これは生涯でもっとも恐ろしく、また同時に、生涯でもっとも自分に力を与える行動となるだろう。

このプロセスはシンプルだが、実行するのはたやすいものではない。心の準備が完全にできた時、あなたは静かに、しかしきっぱりと、子供時代の自分の身に起きた不幸な出来事について親に語るのだ。そして、それらの出来事がいかにあなたの人生に害を与え、また現在の彼らとの関係に害を与えているかについて、あなたは親に語るのだ。また、彼らとの関係のどのようなところが現在のあなたにとって苦痛であり有害であるかについて、あなたははっきりと親に示すのだ。そして今後の関係のあり方について、あなたは新しい基本原則を提示する。

ここで、もう一度この〝対決〟の目的についてはっきりさせておこう。その目的は、つぎのようなことではない。

●親に復讐《ふくしゅう》するため
●親を罰するため
●親をけなすため
●自分の怒りをぶちまけるため
●親から何かを引き出すため

その真の目的はつぎのようなことだ。

●親と正面から向き合い、はっきりと話をすること
●そのことへの恐怖心を、これを最初で最後のこととして勇気を出して乗り越えること
●親に真実を語ること
●親と今後どのような形の関係を維持することが可能かを判断すること

「そんなことは無駄だ」という意見について

心理セラピストも含み、このような親との〝対決〟は必要ないと考えている人は多くいる。だがその根拠とするところのものは、決まり切ったものばかりだ。例えば「過去を振り返るな。未来を見つめていろ」とか、「そんなことをしても、ストレスや怒りが増すだけだ」、あるいは「そんなことをしても古傷を掘り返すだけだ。それでは傷は癒えない」などが代表的なものだろう。だが、私に言わせれば、そういう考えは「正しくない」と言うしかない。

確かに、この〝対決〟をすることによって「毒になる親」が自分の非を認めて子供の言い分を聞いたり、謝ったり、自分の責任を受け入れたりすることはあり得ないという意見はまったく正しい。実際、彼らの反応はたいていその正反対で、否定したり、覚えていないといったり、反論して子供を責めたり、あるいは怒り出すこともしばしばである。

すでに親と話をしようとしたことがあり、その結果、にがい思いを味わわされたことのある人なら、具体的ないい結果が引き出せなくては意味がないと考えるかもしれない。親の反応がどうだったかを基準に成功か失敗かを判断するなら、〝対決〟をしてもあなたの望むような形での成功はないだろう。

だが大切なことは、この〝対決〟は彼らのためではなく自分のために行うものだということである。親のネガティブな反応ははじめからわかっていることだ。成功か失敗かを決めるのは親の反応がどうだったかではなく、自分にどれほどの勇気がありどのような態度を取れたかということなのである。

〝対決〟はなぜ必要か

この〝対決〟の必要性をこれほど私が力説するのは、それには実際に効果があるからである。私はこれまで何年間にもわたり、この方法が何千人もの人たちに劇的でポジティブな変革を起こすのを見てきた。心には強いプレッシャーがかかるが、はっきりと〝対決〟するということは、心の最深部に横たわっている〝恐れ〟に顔をそらさず直面するということであり、それだけでも、いままで圧倒的に親のほうに傾いていた心理的な力のバランスを変えはじめることになるのである。

もしこの方法を取らなければ、残る道はその恐れとともに残りの人生を生き続けることしかない。そして、自分自身のために建設的な行動を起こすことを避け続けていれば、無力感や自分に対する不十分感は永久になくならず、自尊心は傷ついたままだ。

そして、実はもうひとつ、決定的に重要な理由がある。それは、**あなたに負わされたものは、その原因となった人間に返さないかぎり、あなたはそれをつぎの人に渡してしまう**、ということなのだ。

もし親に対する恐れや罪悪感や怒りをそのままにしておけば、あなたはそれを人生のパートナー（妻や夫）や自分の子供のうえに吐き出してしまうことになる可能性が非常に高いのである。

〝対決〟はいつ行うべきか

時期の設定は慎重に考える必要がある。準備もせずにやぶから棒にはじめたのではもちろんよい結果は生まないが、いつまでも延期しているのもまたよくない。
多くの人は、実際の行動に移るまでにつぎの三段階の心理状態を通過する。

第一段階　そんなことは自分にはとうていできそうにない。
第二段階　いつかするが、いまはまだできない。
第三段階　いつやればいいのだろうか？

カウンセラーとしての私の経験では、ほとんどすべての人ははじめ「そんなことはできない」と言い張る。そしてつぎに、私が〝それ以外ならなんでも症候群〟と呼んでいる反応を示す。それ以外のことならなんでもするが「それだけはできない」と言うのだ。カウンセリングを受け、ほかの練習はすべてうまくいっていても、第二段階に進むまでには二ヵ月近くかかるのもまれではない。だがそこまでいければ、第三段階にはたいてい数週間で進める。

実行の時期を決めるためのタイミングを測る完全な方法というものはない。準備を十分しておく以外にないのである。時期を決めようとするとたいてい不安が高まるが、普通それは実行した後でなければ解消しない。

〝対決〟の前には、クリアーしておかなければならない条件が四つある。

1. その結果予想される親の「拒絶」「事実の否定」「怒り」そのほかのネガティブな反応によってもたらされるであろう不快な結末に、対処できるだけの強さが自分にあると感じられる。
2. ひとりだけで孤立しておらず、理解してくれる友人やカウンセラーなど多くの人たちから十分な励ましがある。
3. 「手紙書き」と「ロール・プレイ」による練習も十分してあり、「自己防衛的にならない対応の仕方」も十分練習してある（訳注：「手紙書き」とは、自分の気持ちを相手に語る形ですべて書き出す練習のこと。この練習では実際に投函する必要はない。「ロール・プレイ」については、第十一章二百二十五ページを参照のこと）。
4. 子供時代の自分の身に起きた不幸な出来事について、自分には責任がないことがはっきりと確信できている。

この四番目の条件は特に重要である。子供時代のトラウマの責任が親にあるという確信がまだ十分できていない状態では、〝対決〟はできない。だが、この四つの条件が満たされ、ある程度の自信が持てるようであれば、行動を先に延ばすべきではない。

いますぐは無理、という場合には、時期をあらかじめ設定しておくといい。それは数年先のことになる場合もあるかもしれないが、それが実行を延期させるための口実であってはならない。それまでに十分な準備を整え、練習し、具体的な時間的目標を立てるためである。

〝対決〟の方法

〝対決〟は、直接会って話すのが基本だが、それができない事情がある場合は手紙を書いてもよい。電話で話せば安全なように思えるかもしれないが、実際には効果がなくまず失敗する。電話というのは非常に人工的な道具なので、感情的なコミュニケーションには向いていないうえ、一方的に切られてしまう可能性もある。もし親が遠く離れたところに住んでいて直接会えないようなら、手紙のほうがよい。

(1)手紙による方法

文章を書くというのは、頭のなかを整理し、自分の考えや言いたいことをまとめるのに非常に効果がある。しかも満足がいくまで何度も書き直すことができ、受け取った人は何度も読み返して内容についてゆっくり考えることができる。また、親が暴力を振るう危険性がある場合には、手紙は安全でもある。いくら〝対決〟が重要なこととはいえ、身体を危険にさらすようなリスクをおかす必要はない。

両親がともに健在なら、手紙は必ずそれぞれの親に別々に書く。言いたいことに重複していることがあっても、それぞれの親に対する感情の持ち方や、関係の形態は違っているからだ。順序としては、ふたりのうち毒性がより強いと思われるほうの親に向けて先に書く。普通はそのほうが書くのが容易だからだ。それが書ければ、もうひとりのほうの親への手紙もたいてい書きやすくなる。

手紙などあまり書いたことがないという人も多いだろうが、この方法は対面して話をするのとほぼ同じくらいの効果がある。どちらの親に対する手紙も、まず、「この手紙にこれから書くことは、いままであなたに一度も言ったことのないことです」という書き出しではじめ、主な内容にはつぎの四点を必ず含めるようにする。

1. あなたが私にしたこと
2. その時の私の気持ち
3. そのことが私の人生に与えた影響
4. 現在のあなたに望むこと

この四点が、どのようなタイプの「毒になる親」との〝対決〟でも必要な核心部分であり、あなたが言わんとすることはほぼすべてこれに集約される。これを常に念頭に置いていれば、話が混乱したり散漫になるのを防ぐことができる。

⑵直接会って話す方法

対面しての会話は当然直接的であり、その場でフィードバックがある。心を整理する事前の準備が十分できたら、まず会う場所を決める。カウンセリングを受けているのならカウンセラーのオフィスがいいだろう。カウンセラーには同席してもらい、あなたの言い分が正しく親に伝わるよう助けてもらう。話が緊迫することが予想される場合には、カウンセラーの助けがあったほうがいいだろう。

カウンセラーのオフィスで話をすることになったら、親とはどこかで待ち合わせて一緒にそこにいくのではなく、そのオフィスで待ち合わせる。話し合いの成り行きがどうなるかはわからないから、終わった後は親の車に乗せてもらうのではなく、ひとりで帰れるよう準備しておく。もし話し合いが希望の持てるような雰囲気で終わったとしても、その後はひとりになって自分と対話したほうがよい。

カウンセラーがいない場合や、いても親との対決はひとりで行いたいという場合もあるだろう。親がカウンセラーのオフィスにいくのを拒否することもあり得る。実際、多くの「毒になる親」は、概してカウンセラーと会いたがらない。いずれにせよ、ひとりで会う場合には、親の家で会うか自分の家で会うかを決めなければならない。レストランや喫茶店などは周囲に人がいるので適さない。やはりこういう会話には完全なプライバシーが必要である。

もし親の家か自分の家かが選べるのなら、自分の家のほうがよい。そのほうが心にゆとりができるからだ。もし親が遠く離れて住んでいて、あなたのほうからその街に出かけていくのなら、ホテルに泊まり、その部屋に親を呼ぶのがよい。どうしても親の家でなければ話ができない場合は、より十分な心の準備をしなければならないだろう。

両方の親と話をする必要がある場合は、両方一緒に会っても片方ずつ会ってもかまわないが、普通はふたり一緒のほうがよい。「毒になる親」は、家族のメンバー間のバランスを保つために、秘密、共謀、否定、などを行うことが当然のことになっており、三人一緒であればそのようなややこしいことが起こるのを防げるからである。とはいえ、両親の気質や態度が大きく違う場合には、別々に会って話したほうがいい場合もある。

話をするにあたっては、いうべきことを前もって紙に書いて文章化することにより頭を整理し、声に出して練習しておくことはすでに述べたが、話し合いをはじめる際にはつぎのようなポイントをはっきりさせておくとよい。

1. これからいうことは、私がいままで一度も言ったことがないことであり、全部言い終えるまで黙って聞いてほしい。

2. これは私にとって非常に重要なことなので、途中でさえぎったり言い返したりしないでほしい。

3. 私がすべて言い終えたら、その後はいくらでも反論したりあなたの言い分を言ってくれてかまわない。

4. 以上のことに同意しますか。

これは話し合いのために必要なルールである。ほとんどの親は、一応これには同意する。もしこれすら同意できないようであれば、その日の話し合いは中止したほうがよい。なぜなら、話をそらされたりさえぎられたりせずに、言うべきことを予定通り最後まで言うことがあなたの一番重要な目的だからだ。それができないようであれば、日を改めてまた会うことにするか、それも難しいようであれば、手紙による方法（前出）を取るしかないだろう。

どのような結果が予想されるか

だれもが想像する通り、ほとんどの親はあなたが話をはじめるやいなや、ただちに言い返してくるだろう。つまるところ、もし彼らが子供の話に耳を傾けたり、正論を理解し、子供の気持ちを尊重し、子供の自立を助けていこうと考えることができる人間だったなら、彼らはそもそも「毒になる親」にはなっていないのである。おそらく彼らは、あなたの言葉を悪質な個人攻撃と受けとめ、家族に対する裏切り行為だと考えるだろう。要するに、彼らの反応は、これまであなたに対して取ってきた態度と少しも変わるところはないだろうということだ。

例えば、「親としての能力のない親」はいっそう哀れを誘うように振る舞い、ただおろおろするだけかもしれない。「アルコール中毒の親」はさらに怒りや憎しみを込めて自分がアル中である事実を激しく否定するかもしれないし、もしアルコールを断つ治療を受けているところなら、それを理由にあなたの話をかわそうとするかもしれない。「コントロールしたがる親」はさらに独善的な態度を強めて、あなたに罪悪感を感じさせようとするかもしれない。「言葉で傷つける親」は間違いなく激高し、あなたをののしりだすだろう。これらの反応はすべて、親子のあいだの力のバランスを現状のまま維持し、あなたを従属的な立場に置いておこうとする反射的な反応なのである。もしそれより少しでもましな反応が得られたら、それは予想外の収穫と考えなくてはならない。

くり返すが、この話し合いで忘れてならない大切なことは、親の反応がどうであるかではなく、あなたがどう対応するかということだ。もしあなたが、親の怒りや非難、脅《おど》し、あるいはあなたに罪悪感を抱かせるような言葉や態度を真正面から受けとめ、動じずにいることができたなら、あなたはいままでに経験したことのない自信に満ちた自分を体験できるだろう。

その日に備えるにあたっては、最悪なケースを想定しておく必要がある。親の激高している顔、哀れを誘う表情、涙を流している顔などを頭のなかに浮かび上がらせ、彼らが怒って吐く言葉や、事実を否定してあなたを非難している声を耳のなかで再現してみる。親が言いそうなセリフを声に出して言ってみることによって、そういう親の言葉に過敏になっているあなたの心が反射的に反応しないように自分を慣らす。そして、自己防衛的になって相手を攻撃することなく冷静に対応する練習をする。信頼のおける友人やパートナー、またはカウンセラーなどに親の役をやってもらい、親があなたを攻撃する時にいいそうなあらゆる言葉を言ってもらうのもよい（訳注：これについては「ロール・プレイ」の項を参照のこと）。予想される親のネガティブな反応に対しては、つぎのような言葉を練習しておく。

●あなたはもちろんそういう見方をするでしょうが、
●私のことをそんな風にののしったりわめいたりしても、何も解決しませんよ。
●そういう決めつけは受け入れられません。
●あなたがそのようなことを言うということ自体、こういう話し合いが必要だという証拠です。

●私に対してそんな言い方をするのはよくないことです。
●私の話を最後まで聞くと同意したでしょう。
●あなたがもう少し冷静な時に、もう一度やり直しましょう。

つぎに、あなたの話に対する親の典型的な反応の例と、それに対するあなたの応答例をいくつかあげてみよう。

1．「そんな話はウソだ」「そんなことが起きた事実はない」

「事実の否定」をすることで自信のなさや不安をごまかしてきた親は、この話し合いでも当然それまでと同じように事実をねじ曲げた見方を展開しようとするだろう。また、「覚えていない」といったり、あなたが嘘をついていると非難することもあるだろう。特にアルコール中毒の親の場合にこの反応はよくあり、時にはアルコールのせいで本当に記憶がなくなっていることもある。

「あなたの対応」：「あなたが覚えていないからといって、この事実がなかったということではないのですよ」「あなたは覚えていなくても、私は覚えています」

2.「それはお前が悪いんだ」「自分のせいじゃないか」

「毒になる親」が自分の責任を認めることはまずないといってよい。彼らは必ずあなたを非難するだろう。例えば、「あなたは言うことを聞かなかった」「あなたは難しい子供だった」「自分はベストを尽くしたがあなたはいつも問題ばかり起こした」「あなたは気むずかしくて手に負えなかった」「そのことは家中のみんなが知っている」等々、いろいろな理屈を並べるだろう。また、「自分の問題は何ひとつ解決できないくせに、どうしてこんな風に親を攻撃してばかりいるんだ」という具合に、この話し合いをしようとすること自体、あなたが問題ばかり起こす子供の証拠だというかもしれない。さらに、話をすり替えて逆にあなたに説教しようとすることもあるだろう。それらはすべて、話題を自分からそらせようとしているものでしかない。

「あなたの対応」:「そうやって私のせいにするのは勝手だけど、そんなことをしても、私が子供の時にあなたがしたことの責任を逃《のが》れられるわけではないのですよ」

3.「そのことはもう謝ったじゃないの」

あなたの言い分を一応認め、「今後は気をつける」とか「愛情のある親になる」といっておきながら、それは口ばかりで騒動がおさまると元《もと》の木阿弥《もくあみ》、何ひとつ変わらないというケースもある。もっともよく聞くセリフは「だから悪かったと言っただろう。それ以上、どうしろと言うんだ」

［あなたの対応］：「謝罪してくれたのは感謝するけど、それが口だけではなくて、心からすまなかったと思っているのなら、今後は私が話をしたいと言った時にはいつでも応じてくれて、私といい関係を保つよう努力してくれるということですね」

4．「できるかぎりのことはしたんだ」

親としての能力に欠ける親や、夫（または妻）が子供のあなたを虐待するのを見て見ぬフリをしてきた親は、ほとんどの場合、この話し合いにおいても逃げ腰の態度を取る。このタイプの親は、どれほど自分が苦労したかを強調し、「どれほど大変だったか、お前にはわからないんだ」という言い方をする。このようなケースでは同情心や哀れみがわき、子供はついいいたいことがいいにくくなる。そうなってしまうのは理解できるが、それではやはりあなたは親のニーズを自分のニーズに優先させてしまっているということなのだ。親の苦労を認めるのは大変よいことではあるが、そのために、あなたが虐げられ苦しめられた事実を犠牲にしないことが大切である。

［あなたの対応］：「あなたが苦労したことはわかるし、もちろん私を苦しめようと思ってわざと苦しめたのではないのでしょう。でも、あなたは自分の子供を苦しめたのだという事実を、あなたには知ってもらいたい」

5．「楽しかった時のことを覚えていないの？」

多くの親は、あなたが子供の時の楽しかった出来事を持ち出して反論しようとする。それは、そういう思い出に注意を向けることによって、自分の行動の暗い部分に触れるのは避けようとしているのである。どこかに遊びにいった時のこと、あなたのために何かをしてくれた時のことなどについて語り出し、「あれだけしてやったのに、そのお返しがこれだ」「いくらしてやっても、お前は不満なんだ」などと言う。

［あなたの対応］：「私のためにしてくれたことには感謝している。だが、そういうことがあったからといって、あなたが私に暴力を振るったこと（あるいは、いつもひどい言葉で傷つけたこと、私を踏みにじって侮辱したこと、過干渉とコントロールで私を苦しめたこと、暴力を振るうアルコール中毒であること、等々）を埋め合わせることにはならないんです」

6．「育ててくれた親に対して、どうしてこんなことができるんだ」

まるで自分が犠牲者になったかのように振る舞い、あなたの〝残酷さ〟はとても信じられないなどとショックを受けた表情をして涙を流したり、悲嘆にくれる親もいる。こうして加害者は被害者のように振る舞い、被害者が加害者のように扱われるのである。彼らはあなたがこのようなことをすることによって深く傷ついたと嘆き、「こんな目にあわなければならないとは、なんと悲しいことだ。私はもう年老いて健康がすぐれないから、こんな思いをさせられたらもう長くは生きられないかもしれない」などというかもしれない。

もちろん、悲しみは本当に命取りになることもある。だが、彼らの悲しみは、あなたがこの話し合いを申し入れたことにあるのではなく、彼らが自分の至らなさや、自分の子供にどれほど大きな苦痛を与えてきたかということを思い知らされたことにあるのである。

[あなたの対応]:「悲しい思いをさせて申し訳ないけれど、だからといってこの話をすることを止めるわけにはいかないんです。私も長いあいだ傷ついてきたんですから」

話し合いが不可能な場合

いくら話をしようとしても、感情的になるばかりで話をすることがまったく不可能な場合もある。あなたがいくら冷静に話そうとしても、相手がまるでけんか腰、言葉をねじ曲げて解釈する、何を言っても嘘ばかりつく、絶え間なく話に割り込んで邪魔をする、大声でわめきだす、暴れ出してものを壊したりする、などということになったら、話を途中で切り上げなくてはならなくなるだろう。

いくら勇気を出して言うべきことをいうのが大切なことだとはいっても、それが現実に不可能な場合にはやむを得ない。話を途中で切り上げなければならなくなったとしても、それは相手が話にならなかったということであり、あなたの失敗ではない。

とはいえ、話のテンションが高まることはあっても、手がつけられないまでになるケースはそんなに多くはない。話の内容はともかく、実際には静かな会話となることが多い。

ひとつの例

第六章で紹介した二十七歳の男性の父親は、話し合いに際しても攻撃的なところはまったく変わらなかった。彼が子供の時から暴力を振るっていた父親は、またアルコール中毒でもあり、母親はその父と典型的な共依存（第二章参照）の関係にあった。六十歳を過ぎている父親は彼の話に絶え間なく割り込み、汚い言葉で悪態をつき、カウンセラーの私まで侮辱した。母親はほとんどしゃべらず、激高する父親をたまになだめようとしただけだった。父親は言いたいことだけしゃべりまくると席を蹴って立ち上がり、部屋から出ていってしまった。残った母親は小さくなって言い訳を言い、それでも息子の言うことにはまったく耳を貸そうとはせず、父親の後を追うようにしてやはりそそくさと部屋を出ていった。

こうして彼の〝対決〟は終わった。両親はともに彼の言うことにはいっさい耳を傾けることはなく、一方的に対話を拒否して出ていったのである。

では、こんなことなら〝対決〟などしないほうがよかったのだろうか？　そうではない。これで彼の〝対決〟は成功だったのである。なぜなら、彼は相手が聞こうが聞くまいが、生まれてはじめて、この異常な親たちに自分の本当の気持ちを語り、それをしたことによって、両親が「毒のある行動パターン」から抜け出すことは永久にないであろうという事実を、ようやく心の底から受け入れることができたからである。

その後に起きること

1．あなたに出る反応

話し合いの直後には、突然、勇気と力が湧いてきたような気分になり、一時的に高揚した幸福感のようなものを感じることがある。また、対話が予定していた通りにうまくいかなかった場合でも、ついに大きなイベントをやり終えたという安堵《あんど》感に浸ってほっとする人もいるだろう。いずれも、長いあいだ心のなかに抑え込んできたたくさんのことを言ったことで、気分はずっと軽くなっているかもしれない。

だが、心が極度にアンバランスになったような、または大きな落胆をしたような気分になる場合もある。また、この先はどうなるのだろうかという不安を感じることもあるだろう。

直後の気分がそのどれであっても、本当の効果があらわれてくるまでには少し時間がかかる。本当に力が湧いてきたように感じはじめるまでには、数週間から数ヵ月かかるのが普通だ。だが、時間はかかるが、あなたは確実にそれを感じるようになる。その感じは、極端で一時的な高揚感でも落胆でもない、安定して少しずつ増加していく自負心のようなものだ。

かかるからだ。

2．親に出る反応

一世一代の〝対決〟とはいえ、その時の成り行きだけでその後の究極的な結果がどうなるかをただちに示すとはかぎらない。お互いにその体験を消化し自分のものとするには時間がかかるからだ。

例えば、対話がいい雰囲気で終わったとしても、その後親の考えが再び変わったりして、親の本当の反応が出るまでに時間がかかることもある。会話中は比較的落ち着いていたのに、後になって同意したことを否定したり、腹を立ててやり返してくるのもめずらしいことではない。

その逆に、対話は怒りと混乱のなかで終わったのに、その後しばらくしてポジティブな変化が生じることもある。はじめの興奮がおさまるとともに、それまで語られたことのなかった過去のふたがこじ開けられたことで、かえってオープンで正直なコミュニケーションをもたらすこともある。

後になって親が怒って逆襲してきた場合、子供のほうとしては応酬したくなるのは人情だが、そうしてしまったら元の木阿弥になってしまう。感情的な言葉で言い返すのは避け、あくまでも〝対決〟の日と同じように冷静に対応する。さもなければ、やっと取り返したエネルギーをまた親の手に渡してしまうことになってしまうからだ。そうならないためには、例えばつぎのような態度で対応すればよい。

●「あなたのその怒りの原因について話し合うのなら喜んで応じるが、私のことをそのようにののしったり侮辱するのはもう許さない」

●「その件については、あなたがもっと冷静になった時に話し合いましょう」

もし親が腹を立てて、あなたにいっさい口をきかなくなった場合には、例えばつぎのように対応する。

●「あなたがそんな風にして私を困らせようとするのをやめる気になったら、私はいつでも話に応じますよ」

●「私はリスクをおかして自分の気持ちを正直にしゃべったのです。あなたも一度そうしてみたらどうですか」

いずれにせよ、絶対に確かなことがひとつだけある。それは、〝対決〟の日を境にして、すべてが変わるだろうということだ。したがって、その後は長期にわたってどのような波及効果が生じるかを注意深く見守ることが必要だ。また、その後は親との関係だけでなく、家族の他のメンバーとの関係の変化にも注意していなくてはならない。親がどのような態度に出ても、それまでの古いパターン（反射的に反応したり自己防衛的に反撃しようとする）に逆戻りすることのないよう、自分をよく見つめていることが必要だ。

3. 親同士の関係に与える影響

　あなたと親とのあいだに起こる劇的な変化に加え、親同士のあいだにも変化が起こる。例えば近親相姦(的行為)の被害を受けていた被害者がその事実についてしゃべった場合、その後の両親の関係に与えるインパクトは決定的に大きなものとなるだろう。加害者でないほうの親は、あなたと組んで加害者の親と対抗しようとするかもしれない。あなたの話がきっかけで両親が別れることさえあるだろう。一方、例えば親のアルコール中毒の問題についてなど、あなたが話題にしたことが、それまでだれも口にしなかったとはいえすでに家族全員が知っていた場合には、親同士の関係に与えるインパクトは(近親相姦についてしゃべった場合ほどは)強くはないかもしれない。

　いずれにせよ、もしあなたの話が原因で親同士の関係に亀裂が生じたら、あなたはそのことでまた自分を責めてしまいそうになるかもしれない。

　第四章に登場した、アルコール中毒で依存心の強い母親を持つ女性歯科医の話の続きを少し紹介しよう。

　彼女は母と父の両方と〝対決〟したが、それがきっかけで両親のあいだには大きなみぞが生じる結果となった。母は彼女の要求を入れてアルコール中毒更生施設に通うようになったが、すると、母親と共依存の関係にあった父は急に元気を失ってしまったのだ。父は自尊心のほとんどの部分を「アルコール中毒で何もできない妻に代わって家庭を切り盛りしている、活力のある立派な夫」という役を演じることで保っていた。ところが、母がアルコール中毒であることを認めて治療を受けることになったために、家庭内における自分の意味がなくなってしまったのである。アルコール中毒の母も、その母と共依存の関係にあった父も、それ以外の形でお互いとの関係を維持する方法を知らなかったのだ。そのためにふたりの関係は崩れ去ってしまった。

彼女の両親は離婚はしなかったが、その後の結婚生活が平和を取り戻すことはなかった。二人はその後も確執を続けたが、それ以前と大きく変わった点は、両親の確執が彼女の人生を汚染することがなくなったということだ。彼女は真実を語ったことにより、また、両親が長年くすぶっていた争いを再びはじめてもそれにからめ取られることがなくなったため、不可能と思われていた自由を手に入れることができたのである。

4．兄弟姉妹の反応

本書は基本的に親子関係について書かれたものではあるが、子供は家というシステムのなかの一部である以上、あなたと親との〝対決〟がほかのメンバーとのあいだにも影響を及ぼすことはおのずから避けられない。対決後のあなたと親との関係がそれまでと同じではあり得ないのと同じように、あなたと兄弟姉妹との関係も同じではあり得ない。

兄弟や姉妹があなたと同じような目にあっていた場合、彼らはあなたの行動を支持することもあるだろうが、もし親による〝からめ取られ度〟があなたより強ければ、あなたの語る事実を否定するだろう。また、あなたと同じような体験をしたことがない場合には、彼らはあなたの行動を理解できないかもしれない。

なかには、あなたの行動がそれでなくても不安定な家庭内を引っかき回してしまうことを恐れ、怒り出す者もいるだろう。そして、あなたが家庭の平和を乱したと信じ込んで感情的になり、親の味方をしてあなたを攻撃してくる者もいることだろう。そういう場合も、親に対する時と同じように冷静さを保ち、自己防衛のために反射的に反撃しようとしないで対応することが必要になる。

どのような態度で対応するか、例をいくつかあげればつぎのようになるだろう。

●意見があるのなら喜んで話し合うが、私を侮辱するようなまねは許さない。

●あなたが親の味方をしたい気持ちはわかるが、私の言ったことは事実だ。

●私はあなたの気分を害しようと思ってあのような行動を取ったのではない。私自身のためにどうしても必要なことだったのだ。

●あなたとの関係は大切だが、私はそのために自分がしなければならないことを中止するつもりはない。

●あなたの身には起きなかったからといって、私の言っていることが嘘だということにはならない。

5．そのほかの家族のメンバーの反応

あなたが親と〝対決〟すれば、望むと望まざるとにかかわらず、あなたと心理的に関連のあるすべての人たちとのあいだに影響が出る。特にあなたが結婚している場合には、配偶者や子供たちに影響が及ぶことは避けられない。あなたが「毒になる親」の被害者なら、彼らもまた間接的な被害者だったからである。

〝対決〟の後には、あなたは愛する人たちや親しい友人などからたくさんの愛とサポートを必要とするだろう。そのことを恥じたり恐れたりすることはない。彼らには、自分がいま人生でもっとも困難な時を過ごしていることを正直に伝えるべきだ。ただ、いくら親しいとはいっても、彼らはあなたとまったく同じ精神状態を体験するわけではなく、また、あなたがなぜそのような行動を取らなければならなかったかについて、完全には理解できないかもしれないということも覚えておいたほうがいい。また、いまは彼らにとっても困難な時なのだから、もし彼らがあなたが求めるほどのサポートを与えることができない場合には、理解を示してあげることが大切だ。

親のなかには、家族のほかのメンバーや親戚を巻き込んで味方につけ、あなたを悪者に仕

立て上げて自分の罪を逃れようとする者もいるだろう。そうなると、なかにはあなたの味方をしてくれる親戚もいるかもしれないが、叔父や叔母などを含み親しい親戚のなかには詳しい事情も知らずにあなたの親の味方をして、あなたにつらくあたる者も出てくることだろう。だが、どういう状況になっても、あなたは自分の心身の健康と正気を守るために必要で建設的な行動を取ったのだということを彼らに誠実に説明することは大切だが、彼らがどちらかの側につかなくてはいけないと感じるような話し方はすべきではない。

時には親の友人や、家が所属する寺の僧侶や教会の牧師などが何かをいってくることもあるかもしれないが、それら外部の人間には必ずしもすべてを詳しく説明しなくてはならない義理はない。もし彼らと話したくなければ、つぎのような言い方をするといい。

●「あなたが心配してくれていることには感謝していますが、これは私と親との個人的な問題なのです」

●「あなたが手助けしようとしてくれているのはわかりますが、この問題はあなたには理解できないことなのです。だからいまあなたと特に話し合いたくはありません」

●「あなたは、ご自分のよく知らないことに対して独断的な決めつけを行っています。事態がもう少し落ち着いてきたら、あらためてお話ししましょう」

いくらあなたが誠意をもって説明しても、外部の人間にあなたの行動が理解できるとはかぎらない。その場合には、おそらくその後、その人と良好な関係を維持するのは難しくなるだろう。これは大変につらいことである。心の健康を取り戻すためにはさまざまな代価を支払わなくてはならないことがあるが、これなどはそのもっとも高いもののひとつに違いない。

6. その後のもっとも危険な時

予測しておかなければならないもっとも危険な事態は、親による〝最後の逆襲〟であろう。彼らはあらゆる方法を使ってあなたを懲らしめようとして、あなたの〝裏切り〟に対して非難の嵐を浴びせ、あるいはその逆にまったく口をきかなかったりするかもしれない。もしくは、まわり中の知人や親戚にあなたがいかにひどい息子（娘）かとふれまわることもあるだろう。あなたはもう〝縁切り〟だといって、「自分が死んでも遺産は渡さないと遺書に書く」などと脅すこともあるかもしれない。

つまるところ、たとえあなたの家がどんなにひどい「毒になる家」だったとしても、あなたは「沈黙」と「事実の否定」というその家のルールを破ったわけである。そしてあなたは彼らから離れた立場に身を置いて〝家の嘘〟を暴き、家族内の狂気に満ちた救いようのない〝からみつき〟に一撃を加えたのである。

すなわち、ひとことでいうなら、あなたはその狂った家に爆弾を投げ入れたのと同じことなのだ。その後どういう事態が起きるかは予想しておかなくてはならない。親がひどく腹を立てれば立てるほど、あなたは後悔し、新たに湧いてくる力を自分のものとすることをあきらめて投降したくなるかもしれない。また、家族にそのような大きな混乱を巻き起こしたのでは、〝対決〟によって自分が得たものなどに価値があるのだろうかとも思えてくるかもしれない。

そのような疑問が湧いたり、元の状態に戻りたいと思う気持ちが起こるのはきわめて当然のことである。「毒になる親」は、それまで馴染《なじ》んだ居心地のいい「毒になる家」の環境に戻すためにはあらゆることをするだろう。そのためにはあなたに罪悪感や哀れみの気持ちを起こさせ、または非難を降り注ぎ、あるいは優しくなることすらあるだろう。

あなたの行動を理解し支持してくれる人たちがどうしても必要なのはそのためなのである。あなたには理解してくれる友人、セラピスト、愛する人たちなど、親兄弟以外の人間が必要だ。

私の経験では、口ではいくら縁を切ると脅しても、実行する親は少ない。彼らは家族のメンバーと情緒的にあまりにもからみ合っているので、劇的な変化を起こすことはできないのである。だがもちろん、絶対にそういうことは起きないとは言い切れない。私はまた実際にいっさいの経済的援助や遺産相続を拒否し、子供と縁を切った親も見たことがある。どのような事態になっても動じないだけの心の準備をしておくことは絶対に必要である。

その後どのような新しい関係が持てるか

しばらく時間がたち、あなたも周囲も落ち着いてきたら、自分の起こした行動を振り返って見る時だ。今後たどる道としては三種類あることがわかるに違いない。

(1)たとえわずかではあっても、あなたの苦しみと自分たちの責任について親が理解することができた場合

もし彼らが、その後も話し合いをしてあなたと心を交わす意思をわずかでも見せたなら、彼らが将来〝毒性〟の低い親となり、親子関係を改善していくことができる可能性はある。だがそのためには、あなたの親は批判したり攻撃したりせずにあなたの言い分を聞き、平等な立場でコミュニケーションを取ることができる必要がある。もしそれができるのなら、あなたは親に、「内心の恐れ」に突き動かされず感情を表現する方法を教えることも可能である。

このような展開を見せるケースはきわめてまれだが、それでもまったくないというわけではない。

(2)親がほとんど理解を示さなかった場合

〝対決〟でいくら話し合いを試みても、親が相変わらず旧来通りの態度を取り、なんらの変化も見られなかった場合には、その後あなたにできることはかぎられざるを得ない。おそらく、コンタクトは取り続けるとしても、よくて表面的な会話をする程度がせいぜいかもしれない。私がカウンセリングした多くの人は、親との関係を完全に断つまではしないにしても、深い関わり合いを持つ関係に戻ることは望まなかった。

もっとも多くの人たちが選んだ方法は、その後は話をするにしても本当の気持ちを伝えることはもうせず、当たり障《さわ》りのない表面だけの関係とし、親と会う場合も状況を限定するというものだった。おそらくこれはもっとも現実的で、実際に効果がある方法かもしれない。それは、親との接触は断たないが、自分の「心の健康」を犠牲にしない範囲の接触に限定する、ということである。

(3)自分の健康と正気を保つために関係を切らなければならない場合

これは最後の選択だ。親のなかには、片意地にまで子供を敵視していて、話し合いの後、さらに毒のある行動をエスカレートさせる者もいる。そうなった場合には、子供は親との関係を取るか自分の健康と正気を取るか、という選択をせざるを得なくなるだろう。

これは最後の選択であり、相当な心の痛みを伴わずには実行できない。けれども、その

〝最後の最後の〟選択をする前に、もうひとつ試みてみる道はある。それが、〝試験期間〟をもうけるという方法だ。最低三ヵ月間、いっさいの接触を断ってみるのである。私はこれを〝解毒期間〟と呼んでいる。というのは、この期間にお互いが〝たまった毒〟を抜き、自分たちの親子関係がそれぞれ自分にとってどういうものであるかをじっくり考える機会を与えるからである。

これを実行するのはたやすくはないかもしれないが、この期間を有効に使うことができた人間は大きく成長することができる。この期間中は自分のエネルギーをいっさい親との対立に使わないようにし、自分自身のことに使うようにする。このように精神的に距離を置くことによって、親も子供も、相手に対するポジティブな感情を再発見する可能性もなくはない。

試験期間が終わったらもう一度話し合いをしてみて、親に変化が見られるかどうかを見てみる。もし変わっていなければ、再度試験期間を置いてみるか、またはいよいよ完全に関係を断つことにするかを選択しなければならなくなるだろう。

事態がいよいよ悪くなり、自分の健康と正気を保つためには永久の別れ以外に方法がないと決断する場合には、カウンセラーの助力を得ることを私は強く推薦する。これはあなたにとってもっとも恐ろしい最後の選択であり、あなたは外部からたくさんの助けを必要とする。理解のあるカウンセラーなら、あなたの内部に住んでいる「怯《おび》えた子供」をあたたかく支え、同時に「大人のあなた」を導いて、苦痛に満ちた最後の別れを助けてくれるだろう。

ひとつの例

先ほど例に出した男性が父親との〝対決〟後どうなったかについて述べておこう。彼の父親は〝対決〟後もずっと腹を立てたままだった。そのうえ相変わらず毎日酒を飲み続けていた。そして数週間後、母を使って連絡してきた。「今後もし再び会いたければ謝れ」というのだった。母はほぼ毎日のように電話してきて、おとなしく父の要求に従ってくれと懇願した。そうすればまたみんな昔のように〝家族に〟戻れるというのだ。

ついに彼は、「事実をねじ曲げるばかりで真実を見ようとしない両親のやり方は、自分の心の健康を永久に損ない続ける」という悲しい結論に達せざるを得ないと語った。彼は両親に短い手紙を書き、三ヵ月間連絡を取らないことにするから、そのあいだに考えを変えてくれることを望むと伝えた。そして三ヵ月後にもう一度会って、親子の関係を救うことができるかどうか検討してみようと提案した。

その手紙を投函した日、彼は最悪の事態にも心の準備はできている、とつぎのように私に語った。

――私はいままで、両親との関係を保ったままでも狂気に押しつぶされないほど自分が強かったらどんなにいいだろうと思ってきました。でも、それは自分に対して要求しすぎだと思うようになったのです。自分を犠牲にして親との関係を続けるか、それとも自分の正気を保つ道を選ぶかという選択しか残されていないのなら、どうやら自分を選ぶしかないようです。それが多分、私が生まれてから行ってきたことのなかで、いちばん健全な行動だと思います。でも、そう決断した自分が誇らしく感じられたかと思うと、つぎの瞬間にはものすごく空虚な気分になります。

彼にとって、両親に永遠の別れを告げるというのは大変につらい決断だったが、そうして自分の人生に対する新たな決意を示すことによって、彼の心のなかには新しい強さが生まれてきた。その結果、女性に対しても落ち着いて接することができるようになり、六ヵ月後には新しい出会いがあって、それまでにはなかったような安定した関係に発展することができた。そして、自分の価値に対する自覚が増すとともに、彼の人生も上を向いていった。

以上の三つの道——親とよりよい関係を作り出すために話し合うことができるのか、それとも表面的な関係だけに限定していくのか、完全に断ち切るのか——のどれを選ぶかは、自分の健康と正気を守るためにはどうする必要があり、どこまでが可能か、ということによって決まってくるだろう。だが、どの道を選ぶことになっても、あなたにとって自分を縛りつけている過去からのネガティブで巨大な力を切り離す大きな一歩となる。いずれの場合でも「毒になる親」との古い関係のパターンは打ち破られ、自分にも他人にも心を開いて愛情を感じる人間関係が持てるようになっていくだろう。

病気または年老いた親の場合

親が年老いていたり、病気で体が弱っていたり、障害があったりする場合、子供はなかなか〝対決〟には踏み切れないことだろう。親に対する嫌悪感に哀れみや可哀相だと思う気持ちが混ざり合い、身動きがとれなくなってしまうからだ。そのような親に対するいたわりは人間としての義務ではないか、という気持ちが事態を複雑にする。

「そんなことは親がもっと若い時にやっておけばよかった。いまでは昔のことなどもう覚えていまい」とか、「いまそんなことをしたら、母は卒中を起こしてしまう」などと思う人も多い。だが、そう言っている人も、子供の時から心にたまった苦しみを相手にぶつけもせずこのまま引き下がってしまったら、永久に心の平和は訪れないこともまた知っている。

困難なのは当然だが、だからといってそういう状況でも〝対決〟などまったく論外だということではない。親が医師にかかっているのなら、話をした場合にどの程度のリスクがかかるかどうかを相談してみるのもよいだろう。もし精神的ショックやストレスが親の病状を悪化させたり、生命を脅《おびや》かすほど大きいようであれば、直接的な対決の代わりになる方法はいくつかある。

いうべきことを手紙に書き、投函する代わりに親の写真に向かって読み上げるという方法もある。カウンセラーに親の役をやってもらい、ロール・プレイを行うのも効果がある。これらについて詳しくは、二百九十ページの「すでに死亡している親の場合」の項で述べる。

意外に思われる方もいるかもしれないが、私がカウンセリングしたいくつかの例では、これらの方法は、親が同居していて二十四時間介護を必要としている人の場合でも有効であることが証明されている。また、そういう親に対して子供のほうからオープンに接しようと努力することが、テンションを和らげることもあり、その結果、世話がしやすくなったケースもある。

だが、直接の〝対決〟をしたために不和が拡大し、同居生活がそれまで以上に耐えがたいものとなる可能性も大きい。そうなっても同居をやめることができない場合には、直接的な〝対決〟ではなく代わりの方法を用いるほうがよいかもしれない。

第三章に登場した、母に反抗するあまり結婚しないで生きてきた実業家は、その後ようやく母と〝対決〟して話をする決心をした。彼は言いたいことはたくさんあったが、問題は母親が八十二歳という高齢のうえ、数年前に心臓発作を起こして以来、健康状態が衰えていることだった。だがそれにもかかわらず、母は電話や手紙をよこしては、いまだにああしろこうしろと指図し続けていた。彼は中年を過ぎたいまになっても、母に会いにいくのは平和を取りつくろうための見せかけであり、内心は苦痛だった。彼は人生を母親に好きなように牛耳《ぎゅうじ》られたことにいまだに怒りを覚えていたが、何かをいったらショックで死んでしまうかもしれないと思うと、やはり何も言えなかった。母が元気だった十五年前にはっきり〝対決〟しておけば、自分の一生は救われていたかもしれないと思うと悔やまれた。

だが、〝対決〟してはっきり話をするというのは、相手をやっつけて打ちのめすということではない。傷ついた心やたまった怒りをコントロールされた形で解き放つ方法を見つけることができれば、真実を話すことを避けているよりは語るほうがずっと大きな平和を見いだすことができるはずだ。年老いて体の弱っている母親に対して、後になって後悔することが起きるようなことはすべきではないが、正直な気持ちを伝え合う会話ができれば、ふたりの関係を改善できるチャンスはあるのである。それをしないのなら、本当の気持ちは抑えつけて、何も問題はないというフリを続ける以外にない。

結局彼は「あなたは親子関係について私がどう思っていると思うか」と母に問いかけることによってうまく話を切り出し、自分の正直な気持ちを冷静に語ることができた。母は事実を否定し、傷つき、自己防衛的になって彼を攻撃したが、彼の話を多少は理解することができ、そんな時には目に涙をためさえした。彼は長いあいだ背負っていた重荷を肩から下ろして苦痛が和らいだ気がした。長いあいだ、母には会うのすら苦痛だったが、いま目の前にいる母は、彼が子供の時からずっと知っていた強力でエネルギーを吸い取ってしまう支配的な母ではなく、ただの弱々しい老婆にすぎなかったのだ。こうして彼は、苦痛に満ちた過去の記憶に動かされ続けるのではなく、現在の母をそのままの姿で見ることができたのである。

彼のケースは〝対決〟が多少でもよい結果を導いた例であるが、もちろん必ずこうなるとはかぎらない。高齢だったり病弱になっていることは必ずしも「毒になる親」が真実と向き合うことを容易にさせるとはかぎらないからだ。晩年優しくなり、自分の余命が日々少なくなっていく事実と直面することで、自分の行動の責任を取れるようになる親もいるが、その反対に、ますますかたくなに「事実の否定」に固執し、ますますつむじ曲がりで機嫌が悪く、怒りを吐き出すようになる親もいるのである。

そのような親にとっては、すでに中年を過ぎている子供を攻撃することが自分の〝うつ状態〟と〝老いの恐怖〟をまぎらわせる唯一の方法なのかもしれない。残念ながら、そういう親は子供の気持ちなど永久に理解することなく怒りと恨みを抱えたまま墓に入ることになるだろう。だが、もしそうなったとしても、それは仕方のないことだ。それはだれにも止められないし、重要なことではないのである。重要なのは、あなたが言わなくてはならないことを言ったかどうか、ということなのだ。

すでに死亡している親の場合

これまで本書の述べてきたさまざまな方法をいくら理解したところで、親がもう生きていない場合にはどうにもならないと思われる方もいることだろう。だが、親がすでに存在しなくても、〝対決〟を行う方法はいくつかある。

そのひとつとして、言い分を手紙に書き、親の墓の前で読み上げるという方法がある。そんなことが、と思われるかもしれないが、これは実際に非常に効果のある方法であることが多くの人によって証明されている。この事実はちょっと意外かもしれないが、そうすることによって実際に親に語りかけているような感覚が心のなかに呼び起こされ、長いあいだ抑え込んできた感情をようやく吐き出した実感を与えてくれるのである。私は長年のあいだに、この方法によりポジティブな結果が出たというリポートをたくさん受け取っている。

つぎに、親の墓まで出かけていくのが現実的に難しい人には、同様の手紙を親の写真に向かって読む、あるいはだれも座っていない椅子を目の前に置いてそれに向かって読み上げる、またはあなたの問題を理解しサポートしてくれている親しい人のなかから協力者を見つけて（あるいはカウンセラーに）親の役をやってもらいロール・プレイをするという方法もある。

もうひとつ強力な方法がある。親戚の人（願わくは親と近い世代で、叔父や叔母など血のつながりが近い者がよい）に相手になってもらい、親から受けた体験や人生についてその人に話すのである。もちろんこれは、親からされたことについてその人に責任を取ってもらおうというのではない。だがこの方法によって真実を語ることができれば、実際に親に向かって話すのと同じような大きな心の解放がある。一方、その親戚の人からは、もし親が生きていたらそうするであろうと思われるのとまさに同じようなネガティブな反応をされるかもしれない。彼らは事実を否定し、あなたの言うことを信じず、腹を立てたり、傷ついたり、あなたを嫌悪したりするかもしれない。だがそれを恐れてはいけない。それはまさに、親が生きていたらするかもしれない反応なのだ。あなたはそれに対して、相手が親だったらするのと同じように対応する。つまり、反射的に反撃せず、自己防衛的にならず、相手があなたを理解するかしないかには無関係に落ち着いて対応するのである。これは、変わらなくてはならないのはあなたであって相手ではないということを実践するための素晴らしい機会となる。

一方、その親戚の人が驚くほど理解を示してくれることもあるだろう。第三章に登場した、いつも金の力で父親にコントロールされてばかりいた女性は、父親が死んで五年以上たってから叔母を相手に話し合いを行い、非常にポジティブな結果を得た。

もっとも、ある意味でこの方法は、相手に対して失礼とまでは言わないまでも、少なくとも不親切な行為のようには思えるかもしれない。なぜなら、ほとんどの場合、あなたが親から悲惨な思いをさせられたという事実には、彼らには責任がないからである。だが、もしその人があなたの話によって不愉快な思いをし、一時的に腹を立てたとしても、あなたが心の傷を癒し、自分の一生を台無しにするもとになっている最大の課題に取り組むことの重大さを考えれば、その相手には理解を求めて許してもらうしかないだろう。

〝対決〟は必ず効果がある

〝対決〟は「自立への道」の最終段階だ。その最中にどのようなことが起きたとしても、あなたは敗北者にはならない。なぜなら、あなたには〝対決〟する勇気があったという事実があるからである。

たとえ親が自分の非を認めなくても、たとえあなたが言いたいことを全部言えなかったとしても、たとえあなたが自己防衛的になってしまったとしても、あるいはつい感情的になって言い訳をしてしまったとしても、たとえ親が怒って部屋から出ていってしまったとしても、とにかくあなたはやったのだ。あなたは真実を親に、そして自分に対して語ったのである。それは、いままであなたを縛りつけていた「恐れ」が、もはやあなたをコントロールすることがなくなったということの証しなのだ。

第十四章　「毒になる親」にならないために

「毒になる親」の行動パターンが親から子へ、子から孫へと代々伝わっていくことについてはすでに述べたが、それぞれの世代で家族の織りなすドラマは異なっていても、親の「毒になる行動パターン」はすべての世代で同じような結果を導く。すなわち、子供の苦しみである。

この代々伝わる不幸をなくすためには、親から子へとくり返されていく「毒になる行動パターン」の輪廻《りんね》をどこかで断ち切らなければならない。もしあなたの親が「毒になる親」だったら、後の世代にこれ以上被害者を出さないためには、それはあなたの代でやるしかない。

それにはまず〝被害者〟みたいな顔をするのをやめること、そして自分の親と同じような行動をするのをやめることである（本書の第二部に書かれている内容は、すべてそのゴールを達成するための方法なのだといっていい）。そして、配偶者、子供、友人、同僚、あなたに力を及ぼす人たち、そしてもちろん親に対して、二度と非力で依存的な子供のような態度で接するようなことはしないと決めるのである。また、もし自分が配偶者や子供に暴力を振るいそうになることがあったら、自ら進んで心理学的治療を受けると決めるのだ。このことは、自分の行動を変えるだけのように見えても、その効果はずっと大きな範囲に及んでいく。「毒になる親」の輪廻を断ち切れば、まずあなたは自分の子供たちを、あなたが体験したようなみじめな思いをすることから守ってやることになる。そしてその子供が将来「毒になる親」になることがなければ、さらにつぎの世代も「毒になる親」になることはない。こうしてあなたは「毒になる家系」の流れを変え、後からくるすべての世代を救うことになるのである。

子供に心を開く

「毒になる親」の輪廻を断ち切るためにもっとも効果のある方法のひとつは、自分の子供に対して常に心を開いて相手になってあげることだ。たとえあなたがそのようなことを親からしてもらったことがなくても、自分の子供にしてあげられないということではない。

第二章に登場した四十二歳の会計士の女性は、自分がいい母親になる自信がなかったので、若いころから子供を作るのが怖かった。案の定、結婚して子供ができてからは、しつこく何かをねだられたりダダをこねられたりすると、やはり金切り声をあげてわめき散らしてしまうようになった。だが彼女はセラピーを受けてから、自分はまさしく母親が自分に対してしてきたことをくり返しているということに気がついた。それ以来、気分が落ち込んだりイラだっている時には、内面に注意をめぐらせて心の奥をさぐり、子供たちをひどく扱わないように意識的に注意するようになった。もちろんそれには大変な努力がいり、必ずうまくいくというわけではなかったが、少なくとも努力をしているだけの結果は出てきた。

彼女はまた、〝対決〟をしてから母親とは以前よりもオープンに話ができるようになった。そして母の母も、そのまた母も、子供に心を開かない救いようのない母親だったことがわかったのだ。彼女は、自分の子供に対してはいつでも心を開いて相手になってあげられる母親になろうと決心した。

そこで彼女は、セラピーを続ける一方で育児教室に参加した。自分の親はあまりにも「親の義務を果たさない親」だったので、いい親というのはどう行動するものなのかよくわからなかったからである。また彼女は、自分自身をいたわり、内面のむなしさとどう闘ったらいいのかについても少しずつわかってきた。新しい友人もでき、問題のある男に情を移してしまう弱さも少なくなった。

「自分の親のようにはならない」という決意

本書のいちばんはじめに登場した整形外科医は、六ヵ月のセラピーで見違えるように変わった。自分が子供時代に父親に暴力で虐待されていたことを認め、「手紙書き」「ロール・プレイ」などのプログラムをすべてこなし、その後、両親と〝対決〟した。そして過去から引きずってきた苦しみを少しずつ解放しはじめると、自分の家に伝わる虐待のサイクルを自分の結婚生活でも知らずにくり返していたことがわかるようになった。そのころ彼はこう語っている。

ぼくは絶対に父のようにはならないと数え切れないほど自分に誓ってきたけど、よく考えてみれば、まさに父がぼくを扱ったのと同じように妻を扱っていたんだ。ぼくは妻に暴力を振るったことは一度もなかったから、自分は父のような人間とは違うんだと思っていたけれど、実は言葉の暴力を振るい、不機嫌になることで彼女をいじめていたんだ。家を出て、社会に出たつもりでいたけれど、相変わらず背中に父を担《かつ》いで歩いていたようなものだったのさ。

それまでの彼は、自分が父親の虐待的な行動パターンをくり返していることを否定していたため、自分に意志さえあればそのパターンから抜け出せることに気がつかなかったのである。くり返される輪廻というのは、その存在に気がつかなければ断ち切ることはできない。もし妻が出ていかなかったら、彼が事実を知ることはなかっただろう。

彼はさんざん苦しんだが、幸運にも努力がむくわれた。彼の変化を認めた妻は、試験的に戻ってみることに同意したのだ。彼が変わることができたのは、内面にたまった怒りを彼女に向けて発散するのではなく、その原因となっている根源（＝父親）に向けることができたからである。いままでは、彼は痛めつけられた子供時代のことや自分が抱いている恐れや不安についてもオープンに彼女に話すことができるようになった。こうして「毒になる家系」の輪廻は断ち切られたのだ。

第六章で紹介した、子供を虐待して裁判所の命令で私のところに送られて来た女性を覚えているだろうか。私は彼女に対し、まずはじめの数回のカウンセリングで、衝動的に行動してしまう性格をコントロールする技術を身につけさせることに専念した。彼女は苦しみに満ちた子供時代についてのカウンセリングをはじめる前に、まず現在の日々の生活をコントロールすることを覚えなければならなかったからだ。それには怒りをコントロールすることが必要だった。

私は彼女を、子供を虐待する傾向のある親のための、週一回集まる治療グループに参加させた。そのグループで、ストレスが高まると子供を叩いてしまう衝動をコントロールする訓練をするのと並行して、私は個人別カウンセリングで別のことを行った。まず、怒りや子供を叩きたい衝動が起きた時に、その直前に体に起こる感覚を感じ取ることを練習させた。「怒り」という感情は非常に生理的な側面を持っており、体に反応がたくさん出るのである。したがって、体に起こる反応に注意を払うことによって、自分の心理状態を察知するバロメーターとして使うことができる。

例えば、怒りが高まった時には、首や肩の筋肉が収縮して固くなる、胃がムカムカしたりキューッと締め付けられるようになる、あごを固く嚙みしめている、呼吸が速く、そして浅くなっている、心臓が強く打っている、目の裏側に熱い涙が出ている、などの身体的反応が起きている。

これらの体感覚が認識できるようになったら、つぎはそれにどう対応したらよいかを考える時だ。刺激に対して反射的に「反応」してしまうのと「対応」することの違いについては第十一章で解説したが、たいていの人は、生まれてこのかたそんなことは考えたことがない。彼女もこの段階ではかなり戸惑い、どうしたらよいのかが見いだせなかった。そのきっかけをつかんでもらうために、私は彼女に「自分の親がかんしゃくを起こして暴力を振るいそうになった時にはどうしてほしかったか」とたずねた。彼女は「部屋から出ていってほしかった。気が鎮まるまでどこかで時間をつぶしていてくれればいいと思った」と答えた。そこで、彼女も同じようにすることにした。

それから数ヵ月間の努力の甲斐あって、彼女の衝動的な行動パターンが少しずつ変わってきた。そしてしだいに、自分も母親のようになるのではないかという恐れがなくなり、自分に対する自信が生まれてきた。ここまできて、やっと彼女自身の虐待された子供時代の傷を癒すカウンセリングが可能となった。

子供の時に父親から性的ないたずらをされていたある女性は、セラピーを受けてその父親と〝対決〟してから、自信が増してくるのを感じはじめた。彼女には八歳になる娘がいたが、両親には娘をひとりだけであずけることはしないと決め、そう両親に宣言した。父親は加害者としての治療を受けることをまだ拒否していたし、自分を父から守ってくれなかった母も信用できなかったからだ。

また、娘には、健康的で正常な愛情と変質者の行動の違いを教えるため、そのことについて子供向けに書かれた本を何冊も買ってきた。これらの教材は、子供に恐怖心を植えつけることなく、その問題をわかりやすく説明し身を守る方法を教えるためのものである。

彼女はさらに、父が自分に対してしたことを兄弟姉妹の全員にいうことにした。自分の娘ばかりでなく、甥や姪にも危害が及んではいけないと思ったからだ。黙って話を聞いてくれた者もいたが、彼女の行動を喜ばない者もいた。親に対してひどいことを言っているとか、家のなかをめちゃくちゃにしたといって腹を立て、彼女を攻撃する者もいた。だが、これも親との〝対決〟の時と同じである。その相手がどのように反応するかは、将来その人間との関係がどうなるかを決定づける。したがって、家族や親戚のなかには関係が悪化する者も出てくることは避けられない。それは子供たちを守るために支払うやむを得ない代価なのである。

子供に謝れる親になる

「毒になる親」の特徴のひとつに、彼らは自分たちのしたひどい行動について、まずほとんどと言っていいくらい謝らないということがある。だからこそ、もし子供を傷つけたと思った時には謝る、ということが、「毒になる家系」の毒素をつぎの世代に伝えないようにするための重要な行動となる。

子供に謝ることのできない人というのは、愛情が欠けている人間である。そういう人は、そんなことをしたら面目を失うとか、軟弱さの証拠だとか、親の威厳がなくなると恐れている。だが事実を言うなら、子供というのは謝った親を見下すようなことはしないばかりか、かえってそういう親を以前にも増して尊敬できるようになるものである。子供ですら、間違いを犯した時には謝ることができる人というのは人格者であり、そういう行動は勇気がある証拠だと感じるのである。おざなりでなく、本心から謝罪するということは、お互いの心を癒し、「毒になる親」の輪廻を断ち切るためのもっとも優れた行動である。

先ほども再び例に出した、内面の怒りをコントロールできなくて息子を暴力で虐待した女性は、その後、自分自身の虐待された子供時代を癒す心理セラピーを受けてから、自分が虐待してしまった息子に謝りたいと思うようになった。だがなんと言っていいのかわからず、なかなかそれができなかった。そんな時にも「ロール・プレイ」による練習は効果がある。私は彼女に息子の役をやらせ、私が彼女の役をすることにした。「ロール・プレイ」ではこのように役を入れ替えて練習することがよくある。そのように立場を入れ替えて演じることで、相手の気持ちがよくわかったり、「相手はこう感じているだろう」と自分が無意識のうちに感じていることもよくわかるからである。彼女の場合は、この方法によるセラピーを通じて息子の心の傷と自分の心の傷が同時に感じられ、息子の気持ちがよく理解できた。彼女は息子の役を演じることによって、自分の母がこのように謝ってさえくれたら、と思う言葉が、息子が自分に言いたいのはこういうことだろうという言葉となってあらわれたのだ。

その翌週、彼女は息子に対する謝罪を実行することにした。やってみると、それまで思っていたほど難しいことではなかった。「自分の親が自分にこう言ってくれさえしたら」と思うことを言えばよかったのだ。

親は謝ることによって、子供に「きみは自分の抱いているフィーリングを信じていいのだ」ということを教えることができる。つまり、子供が「親のした（いった）ことは不当だ」と感じていたとすると、親が謝るということは、「私がした（言った）ことは不当だった。あなたがそう感じたのは正しかったのだ」と知らせてやるということである。またそれは、「親といえども間違えることはあるのだ。だが、私はそれに気がついた時、こうして責任を取る」と教えるということでもある。それはとりもなおさず、「間違えることがあってもかまわない。だが、責任は取らなくてはならない」ということを教えることになるのである。こうして、子供に謝るということは、真に愛情のある人間の行動とはどういうものかを身をもって教えるということになるのである。

たとえあなたの親が「毒になる親」だったとしても、あなたはその流れを変え、自分の子供の運命を変えることができる。あなたが「毒になる親」から伝えられた「罪悪感」「自己嫌悪」「怒り」などの遺産から自分を解放すれば、それは同時にあなたの子供を同様のことから解放することにもなるのである。こうしてあなたは「毒になる家系」の流れに介入し、輪廻を断ち切ることによって、あなたの子供に、そしてその子供に、そしてまたその子供に、かけがえのない贈り物をすることになる。そうやってあなたは未来の子孫にポジティブな遺産を残すことになるのだ。

エピローグ　もがく人生との決別

昔、「ウォー・ゲーム」という映画があった。アメリカ政府のコンピューターが、何者かの手によって世界核戦争を起こすようセットされてしまう。そのコンピュータープログラムを書き換えようと、あらゆる努力がなされるが、すべて失敗する。だが最後の土壇場で、コンピューターは自ら自分を止めてしまい、世界戦争は回避される。コンピューターが最後に出したメッセージは、「面白いゲーム。勝つための唯一の道は、そのゲームをしないこと」だった。

これと同じことは、多くの人が毎日くり返し続けている〝ゲーム〟についてもいえる。すなわち、〝「毒になる親」を変えようとする努力〟というゲームである。そういう親を持ったほとんどの人は、自分の親が子供を理解し受け入れることのできる、愛情のある親になってくれるようにと、それこそあらゆる犠牲を払ってもがいている。そうして〝もがく〟ことで本人はエネルギーを使い果たし、日々の生活は混乱と苦痛に満ちたものとなっているのに、その〝もがき〟はまったくむくわれることはない。

そんな〝もがき〟は、いまこそもうやめるべきだ。〝ゲーム〟に勝つための唯一の道は、その〝ゲーム〟をしないことなのである。やめる〝ゲーム〟とはつぎのようなことだ。

1．自分の苦しみがなくなるように親を変えようとすること。
2．親の愛情を勝ち取るにはどうしたらいいのかと考えること。
3．親の考えや言動に対して感情的に反応すること。
4．いつの日か親は真心のこもったサポートを与えてくれるだろうという幻想を持つこと。

「毒になる親」を持った多くの大人は、いまになるまで自分の親が愛情をはぐくんでくれるようなあたたかい態度で接してくれなかったということは、将来もそのようなことは起きないということだろうと頭のなかではわかっている。だが、いくら頭ではわかっていても、感情の面ではなかなか割り切って納得することはできないのが現実かもしれない。

心のなかにいまでも住んでいる〝小さな子供〟はあいかわらず奮闘を続け、いつの日か親にも自分の素晴らしさがわかり、愛情を注いでくれる時がくるに違いないという希望にしがみついている。それはたとえ親の余命が少なくなっていても変わらない。

なかには、なぜ親が自分のことを悪く言うのか理解できないが、その非難も甘んじて受けよう、と心が切り刻まれんほどの思いで悲壮な決心をしたことのある人もいることだろう。だが、そこまで努力して、子供時代に与えてもらえなかった「愛情」と「理解」と「承認」

を求めて接近しても、水のない井戸に戻ってもう一度水を汲もうとするようなものだ。何度バケツを投げ入れても、引き上げてみれば空のバケツが上がってくるばかりである。

先へ進もう

頭が凝り固まった両親に絶え間なくなじられていたある女性は、そのような親を変えようともがき続ける子供の典型的な例だった。彼女にとっては、いつの日か親があたたかい愛情を注いでくれ、自分のことを認めてくれるのではないか、という〝希望〟には、希望などないことを理解するまでには大変な勇気が必要だった。

彼女の両親は、常に自分の物差しで測って「子供が〝いい子〟なら愛情を与え、そうでなければ与えない」という人たちだった。彼女はついに、そのことをいくらいったところで彼らが変わることはないことを思い知った。彼らは永久に彼らのままなのだ、とはっきり気づいた時、彼女はそんな親を変えようなどとしているよりも、自分のためにすべきことをしたほうがいいと結論した。

こうして彼女は、害を及ぼす親との関わり合いの形を変えていった。親が彼女の人生に侵入しようとしてきたり、コントロールしようとする時には、常識で判断して受け入れられる限界を設定した。同時に、自分もまた彼らの態度や考えを変えようとはしないことにした。

〝もがく努力〟をやめるにあたり、もっとも困難な点は、「毒になる親」をそのままにしておくということである。もちろん、有害な親に横暴なことをされたり、ひどいことを言われた時に、なすがままにされているということではないが、そういう時にも不安に耐え、反射的に反応してしまう自分をコントロールすることを学ばなくてはならないということだ。

想像した通り、彼女が自分の信念に従って行動するようになると、両親は非常に腹を立てた。彼らは自分たちが彼女の人生に侵入し続けてきたことも、コントロールしようとばかりしてきたことも否定した。だが彼女は、もはや彼らに自分の考えを認めてもらう必要などなかった。自分の人生は自分がコントロールできるようになっていたからである。時間とともに、両親はしぶしぶながらも彼女の新しいやり方を黙認する以外になかった。

それまでの彼女は、親との争いに膨大なエネルギーを使ってきた。だが、そのような無駄な〝もがき〟をやめてからというもの、浪費していたエネルギーを自分のことに使えるようになった。夫と過ごす時間も増え、二人の将来についても語り合えるようになった。そしてその二年後、彼女は念願のフラワーショップをオープンすることができた。

もしあなたが、自分が大人であることを親が承認してくれるのを待っていたいのなら、あなたはいつまでも非力で小さな存在のように振る舞っていればいいだろう。だが、あなたが大人であることを真に承認できるのはあなた自身であり、親ではない。「毒になる親」との〝もがき合い〟に完全に別れを告げることができた時、あなたはもう自分の人生を自分でだめにしてしまう必要はないことを発見するだろう。

〝愛情〟の意味をもう一度はっきりさせる

愛情とは、単に感情を意味するだけではない。それは態度でもあり、行動の仕方でもある。「子供をどう愛したらいいのかわからない親」というのは、言葉を換えれば「どのように愛情のこもった態度で子供に接し、行動したらいいのかわからない親」ということである。どのような「毒になる親」であろうとも、もし子供を愛しているかと聞かれれば「もちろんですよ！」と語気強く答えるに違いない。だが悲しいことに、同じ質問を子供のほうにすれば、そのほとんどは「愛されていると感じたことはない」と答えるだろう。「毒になる親」のいっている〝愛情〟とは、あたたかい心をはぐくみ、子供を優しく安心させてくれる態度や行動のことではほとんどないのである。

「毒になる親」に育てられた子供は、愛情とは何なのか、人を愛したり愛されたりするというのはどういう気持ちになることなのか、ということについてよくわからず、混乱したまま成長する。その理由は、彼らは親から、〝愛情〟の名のもとに〝愛情とは正反対のこと〟をされてきたからなのだ。その結果、愛情とは「非常に混乱していて、劇的で、紛らわしいものので、苦痛をともなうことがよくあり、時としてそのために自分の夢や望みをあきらめなくてはならないもの」という認識を生む。だが、心の健康な人間ならすぐわかるように、真の愛情とはそんなものではない。

本当に愛情のある態度や行動というのは、けっして子供を消耗させたり、混乱させたり、自己嫌悪を抱かせたりするようなことはない。愛情ある親の行動は子供の心の健康をはぐくむ。愛情が相手を傷つけるなどということはあり得ないのである。愛されている時には、だれでも自分は受け入れられ、気づかわれ、評価され、尊重されていると感じる。真の愛情は、あたたかい気持ち、喜び、安心感、安定感、心の平和、などを生む。

もしあなたが「毒になる親」に育てられた人間だったら、あなたは本当の愛情とはどういうことなのかがようやく理解できた時、自分の親は愛情のない、または愛情を理解することのできない人間だったのだということを思い知ることになるだろう。このことこそ、あなたが受け入れなければならない、人生でもっとも悲しい事実なのである。けれども、はっきりと親の限界を知り、彼らのおかげでこうむり苦しんだ被害について明確に確認することができた時、あなたは自分の人生において本当の愛情であなたを愛してくれる人たちのためにドアを開けることになるだろう。

自立への道

幼い子供は、親が承認を与えてくれるかくれないかで自分が正しいことをしているかいないかを判断する。すなわち、親の判断が自分の判断の物差しとなっているわけである。だが「毒になる親」の物差しはあまりにも歪んでいるため、それに従うには自分の考えを犠牲にして、どうも正しいとは思えないことを信じなくてはならない。この習慣は大人になっても続き、あなたはいまだに同様の犠牲を払っているかもしれない。

本書は、そのような物差しを、親のものではなく自分のものに変更することを助けるために書かれたものといってもいい。それはつまり、事実を認識するには自分を信頼することを学ぶということでもある。それができれば、あなたは自分の考えや行動にたとえ親が不賛成でも、たとえ承認を与えてくれなくても、その結果襲われる不安感に耐えることができるようになるのである。なぜなら、その時あなたは、もはや何をするにも親の承認や賛同は必要なくなっているからだ。それがあなたの自立なのである。

あなたが自立すればするほど、「毒になる親」はそれを好まないだろう。物事が現状から変わりそうになると脅威を感じるのが「毒になる親」の特質であることを思い出してほしい。だから、あなたの新しくて健康的な行動パターンを彼らが受け入れようとしなくても、まったく不思議はない。

時間がたてば、「毒になる親」のなかにはあなたを受け入れられるようになる人たちもいるかもしれない。そして、彼らも認識を新たにし、子供じみた行いを改めて、大人同士のつき合いができるようになる場合もあることだろう。だがその一方で、ますます抵抗し、現状維持をはかろうとして争おうとする「毒になる親」も多いに違いない。いずれにせよ、「毒になる家」の有害な行動パターンから自分を解放できるかどうかは、あなた次第だ。

人間として真に成長するのは平坦な道のりではない。上り坂もあれば下り坂もあり、進んだり戻ったりすることもあるだろう。たじろぐことも、ためらうことも、間違いを犯すことも当然あると思っていたほうがいい。不安、恐れ、罪悪感、心の混乱、などといったものが、永久に完全になくなるということはあり得ない。そういうものがないという人間はこの世に存在しないのである。だが、あっても、もう左右されなくなる。これがカギなのだ。

過去や現在の親との関係に対するコントロールを増していくにつれ、あなたはそれ以外の人間関係、特に自分自身との関係が劇的に改善されていることに気づくだろう。そうなった時、あなたはおそらく生まれてはじめて、「自分の人生を楽しむ」自由を手に入れることになるだろう。

訳者あとがき

最近日本では、子供がおかしくなってきていると言われている。だが子供は生まれてくるときには無垢のまま生まれてくるのであり、それが育っていく過程でおかしくなるというのは、原因が大人にあるのは明らかであり、それを〝社会〟のせいにするのはごまかしである。社会というのは「家庭」という最小単位が無数に集まって成り立っている。もし子供がおかしくなってくるのなら、その責任のほとんどを負わなくてはならないのは家庭であり、つまりは親なのである。経済成長（といえば聞こえはいいが、ひらたくいえば金儲け）に国をあげて狂奔してきた結果が、あたたかい愛情を与えられずに育てられた子供にあらわれているのだ。

本書のタイトル、「毒になる親」とは、要するに子供を虐待する親のことである。だが「捕虜虐待」や「動物の虐待」などの言葉があるように、日本語で「虐待」というと、一般にはその語感から、どうしても折檻など肉体的な暴力や、食事を与えずに放置するなど拷問のようなことばかりイメージされてしまうことが多いようだ。実際、マスコミが取り上げる〝事件〟もそういうケースばかりだし、一般書として出版されている書物においては興味本位に性的虐待のしかもきわめてまれなケースを扱ったものばかりというのが実情だ。

子供の虐待には、「肉体的な虐待」「精神的な虐待」「性的な虐待」「義務の放置」などがあるとされているが、そこでよく見逃されがちなのが、子供の心に大きく傷を負わせる「精神的な虐待」である。日本でまだ一般に理解されにくいことは、事件になるようなセンセーショナルな〝虐待〟でなくても、心の虐待は子供の人格を破壊し、健康的で正常な心の成長を阻んでしまうということである。その結果、成長後の子供の人生を苦しみに満ちたものにしてしまい、たくさんの不幸を作り出す。また、心の虐待は大人になっても続いていく。つまり「精神的な虐待」は子供の時代だけでは終わらないのである。本書には中年を過ぎてもまだそれが続いている被害者の例がいくつも登場する。

一口に「精神的な虐待」といっても、問題は残酷な言葉で傷つけるといったようなことばかりではない。本書で取り上げられているように、「義務を果たさない親」による粗末な扱い、「コントロールばかりする親」による過干渉、あるいは「アルコール中毒の親」の支離滅裂で破壊的な行動なども〝虐待〟にあたるということは、日本ではまだ一般にはなかなか認識されていない。また、性的虐待というのは、暴力的な行為ばかりとはかぎらないということもあまり認識されていないようだ。こういった認識の不足や誤りは、すべて〝虐待〟という言葉の与えるイメージからきているように思われる。

親によって心に傷を負わされた子供は、成長してからもさまざまな問題に苦しむことになるが、その因果関係については、当の親はもちろん、被害者である子供も気づいていないことが多い。現代社会で多くの人が抱えている問題――いくらもがいても人生がうまくいかない、いつも不快感がある、いつも気分がすっきりせず感情が不安定である、すぐに腹が立つ、かんしゃく（ヒステリー）が起きるとコントロールできない、異性との関係がいつもこじれる、アルコールや薬物に中毒している（多くの人はそれを〝精神的依存〟という言葉で逃げている）、自分自身の子供に問題が起きている、自己破壊的な性格である、強い無力感におそわれることがよくある、心の奥底に絶望感がある、何事もネガティブである、等々、といった問題も、その根源には生まれ育った家庭環境（親や兄弟）があることがいまでは突き止められており、このことはいまや欧米では常識になっている。

だが不思議なことに、日本では「親」を批判するということになると、マスコミはむろんのこと、専門家であるはずの心理学者ですら歯切れが悪くなるのはいったいどうしたことか。それこそ炎天下に停めた車のなかに幼児を残したままパチンコをしていて衰弱死させたり、折檻して殺したりということでもあれば虐待だと騒ぐが、過干渉や侮辱的な言動や無理な強制で子供の人権を侵略し、尊厳を踏みにじり、あるいは子供が心の支えを必要としている時に支えてやらず、愛情のない言葉や行動で傷つける行為が、どれだけたくさんの子供の心を歪ませ、彼らの人生をめちゃくちゃに破壊しているかということについては、まともに議論されているのを見たことがない。

いったい、そういう親はなぜそのような行動をするのか。そこには、そのようなことをしている自分に気づいていない、そのようなことをしてしまう自分をコントロールできない（止められない）、そのようなことが悪いことだとは思っていない、などの理由があるのだろうが、その原因は、彼らもまたその親からあたたかい愛情を注がれず、ひどい扱いを受けてきた結果である。こうして虐待のサイクルは世代から世代へと受け継がれていく。ここで問題なのは、ほとんどの場合、そういう親は自分が子供に「ひどいこと」をしていると認識していないことである。本文中の言葉を借りれば、彼らは「常に自分の都合やニーズが子供のそれより優先する自己中心的な人間で、愛情というものが決定的に欠けている」ということだ。

親のそのような行動が〝虐待〟であるということは、欧米ではすでに二十年以上も前から常識となっているのだが、日本ではまだ専門家ですら抵抗を示す人（特に年配の人の場合）が少なくない。それは、まだ日本には〝子供の虐待〟についての真の概念と、それについての深い理解が定着していないためであろう。私はけっして欧米がすべてにおいて進んでいるとは言わないが、少なくともこの分野に関するかぎり、日本は後進国である。

本書はこのテーマについて、足早にではあるが基本的にすべて網羅した画期的な本である。著者は三十年近くにわたって多くの人々を苦しみから立ち直らせ現在も活躍しているカウンセラーで、ベストセラーになった著書も数多く出している。六〇年代末から現在に至る三十年間というのは、アメリカでも心の問題についての研究と理解、そして治療法が画期的に進歩した時期であり、またそれにともなって一般の人々の認識もそれまでになく増してきている。著者はその初期から現在に至るまで、ずっとその分野のまっただなかを歩き、心の治療を追究してきた人である。本書の至る所に示されている彼女の言葉には、とても重く感じられるものがたくさんある。

本書は、心の問題という、日本語での表現がなかなか難しい内容を扱っているので、訳出にあたってはできるかぎりわかりやすい日本語に置き換えるよう努力したが、一方、紙面の都合で短く圧縮したりカットせざるを得なかった部分もある。とりあえずは著者の真意と内容を正確に伝えることができていれば幸いである。

ある心理学者は「心のなかに湧き起こるネガティブな感情は、たちまち体に〝毒薬のような〟効果を及ぼす」と語っているが、実際、英語では、「心」に有害な感情や、それを引き起こすもとになった人間のことも toxic（有毒な）という表現をする。また、contamination（汚染）という言葉も、環境問題ばかりでなく「心」の問題でも用いられ、「心が汚染される」といういい方をすることがある。著者も述べているように、本書の原題TOXIC PARENTSとは、そのような親をあらわすのにまさにぴったりの表現である。

今後、二十一世紀には、「心」や「感情」の問題が人間にとってますます重要な課題となってくることは間違いない。国の将来も、ひいては人類の将来も、一人ひとりの人間が

「毒」で「汚染」されない「心」や「感情」を持つことができるかどうかにかかっている、と言ったら、大げさだと笑われるだろうか。私にはどうもそのように思えてならない。少しでも多くの人々がこの問題について関心を持たれ、理解を深められることを願ってやまない。

本書の出版にあたっては毎日新聞社出版局の永上敬氏に大変お世話になりました。この場を借りて厚くお礼申し上げます。

文庫版刊行にあたって

一九九九年に毎日新聞社から本書のオリジナルが出版された時、予想をはるかに上回る反響があった。編集部にはたくさんの読者からお便りが寄せられたが、そのほとんどは親や兄弟からなんらかの虐待を受けたことのある方々からのものだった。なかには、「日本にはわかってくれるセラピストがいない、アメリカにいって治療を受けたい」とか、「スーザン・フォワードに会いたい」という人もいた。私はこの問題の根の深さと、成人した後もあいかわらず苦しんでいる方々がいかにたくさんおられるかということをあらためて痛感させられた。

それから二年半たった現在では、虐待のニュースはひんぱんに報道されるようになった。世の中の認識が高まり、被害者を手当した医師など関係者による通報も増え、報道機関もニュースとして取り扱うようになってきたということなのだろう。とはいえ、精神的虐待や性的虐待、親としての務めを果たさないネグレクトなどのケースについては、その結果、被害者が一生苦しめられ、人生を台無しにされているにもかかわらず、まだまだ語られることは少ないようだ。読者から寄せられたお便りの多くは、そういう虐待を受けた方々からのものだった。この文庫版が刊行されることによって、殺されてしまうようなきわめて痛ましいケース以外にも、虐待にはさまざまな形があることを多くの人たちに知っていただければと願っている。

なお、この文庫版では紙面の都合上、やむを得ず「セラピーの実際」を扱った章を割愛させていただいた。もともと本書はセラピーを必要としている方がその代用にできるようにと意図して書かれたものではないので、その章は不要と判断したためだ。そういう点にまで関心のある方は、毎日新聞社版のほうを参照していただければ幸いである。

この文庫の出版にあたっては、講談社生活文化局の岡部ひとみさんが尽力して下さいました。彼女に心からお礼申し上げます。

玉置　悟

本作品は、一九九九年三月、毎日新聞社より刊行された『毒になる親』を、文庫化にあたり再編集したものです。

スーザン・フォワード―医療機関のコンサルタント、グループ・セラピスト、インストラクターをつとめながら、ラジオ番組のホストとしても活躍。講演活動にも精力的である。著書に『ブラックメール―他人に心をあやつられない方法』（ＮＨＫ出版協会）、『男の嘘』（ＴＢＳブリタニカ）などがある。
玉置　悟―1949年、東京都に生まれる。東京都立大学工学部を卒業。音楽業界で活躍後、1978年より米国在住。訳書に『私がわたしになれる本』『本当に好きな人とめぐり逢う本』（以上、ＫＫベストセラーズ）などがある。

講談社＋α文庫　毒《どく》になる親《おや》
――一生苦しむ子供
スーザン・フォワード　玉置《たまき》 悟《さとる》・訳

2001年10月20日第１刷発行
2022年６月23日第60刷発行
発行者――鈴木章一
発行所――株式会社　講談社
東京都文京区音羽2-12-21　〒112-8001
電話　編集(03)5395-3522
販売(03)5395-4415
業務(03)5395-3615
デザイン――鈴木成一デザイン室
カバー印刷――凸版印刷株式会社
印刷――株式会社新藤慶昌堂
製本――株式会社国宝社
KODANSHA
落丁本・乱丁本は購入書店名を明記のうえ、小社業務あてにお送りください。
送料は小社負担にてお取り替えします。
なお、この本の内容についてのお問い合わせは
第一事業局企画部「＋α文庫」あてにお願いいたします。
Printed in Japan ISBN4-06-256558-7
定価はカバーに表示してあります。

講談社+α文庫 Ⓐ生き方

コシノ洋装店ものがたり
小篠綾子
国際的なファッション・デザイナー、コシノ三姉妹を育てたお母ちゃんの、壮絶な一代記
648円 A 133-1

笑顔で生きる 「容貌障害」と闘った五十年
藤井輝明
「見た目」が理由の差別、人権侵害をなくし、誰もが暮らしやすい社会をめざした活動の記録
571円 A 134-1

よくわかる日本神道のすべて
山蔭基央
歴史と伝統に磨き抜かれ、私たちの生活を支えている神道について、目から鱗が落ちる本
771円 A 135-1

日本人なら知っておきたい季節の慣習と伝統
山蔭基央
日本の伝統や行事を生み出した神道の思想や仏教の常識をわかりやすく解説
733円 A 135-2

1日目から幸運が降りそそぐプリンセスハートレッスン
恒吉彩矢子
人気セラピストが伝授。幸せの法則を知ったあなたは、今日からハッピープリンセス体質に！
657円 A 137-1

家族の練習問題 喜怒哀楽を配合して共に生きる
団士郎
日々紡ぎ出されるたくさんの「家族の記憶」。読むたびに味わいが変化する「絆」の物語
648円 A 138-1

カラー・ミー・ビューティフル
佐藤泰子
色診断のバイブル。あなたの本当の美しさと魅力を引き出すベスト・カラーがわかります
552円 A 139-1

宝塚式「ブスの25箇条」に学ぶ「美人」養成講座
貴城けい
ネットで話題沸騰！ 宝塚にある25箇条の〝伝説の戒め〟がビジネス、就活、恋愛にも役立つ
600円 A 140-1

大人のアスペルガー症候群
加藤進昌
成人発達障害外来の第一人者が、アスペルガー症候群の基礎知識をわかりやすく解説！
650円 A 141-1

恋が叶う人、叶わない人の習慣
齋藤匡章
意中の彼にずっと愛されるために……。あなたを心の内側からキレイにするすご技満載！
657円 A 142-1

＊印は書き下ろし・オリジナル作品

表示価格はすべて本体価格（税別）です。本体価格は変更することがあります

イチロー式 成功するメンタル術 児玉光雄
臨床スポーツ心理学者が解き明かす、「ブレない心」になって、成功を手に入れる秘密
571円 A 143-1

ココロの毒がスーッと消える本 奥田弘美
人間関係がこの一冊で劇的にラクになる！ 心のエネルギーを簡単にマックスにする極意!!
648円 A 144-1

こんな男に女は惚れる 大人の口説きの作法 檀れみ
銀座の元ナンバーワンホステスがセキララに書く、女をいかに落とすか。使える知識満載！
590円 A 145-1

「出生前診断」を迷うあなたへ 子どもを選ばないことを選ぶ 大野明子
2013年春に導入された新型出生前診断。この検査が産む人にもたらすものを考える
690円 A 146-1

誰でも「引き寄せ」に成功するシンプルな法則 水谷友紀子
夢を一気に引き寄せ、思いのままの人生を展開させた著者の超・実践的人生プロデュース術
600円 A 148-1

私も運命が変わった！ 超具体的「引き寄せ」実現のコツ 水谷友紀子
引き寄せのコツがわかって毎日が魔法になる！ 〝引き寄せの達人〟第2弾を待望の文庫化
670円 A 148-2

質素な性格 吉行和子
簡単な道具で、楽しく掃除！ 仕事で忙しくしながらも、私の部屋がきれいな秘訣
580円 A 149-1

ホ・オポノポノ ライフ ほんとうの自分を取り戻し、豊かに生きる カマイリ・ラファエロヴィッチ 平良アイリーン＝訳
ハワイに伝わる問題解決法、ホ・オポノポノの決定書。日々の悩みに具体的にアドバイス
890円 A 150-1

100歳の幸福論。 ひとりで楽しく暮らす、5つの秘訣 笹本恒子
100歳の現役写真家・笹本恒子が明かす、ひとりでも楽しい〝バラ色の人生〟のつくり方！
830円 A 151-1

*空海ベスト名文 「ありのまま」に生きる 川辺秀美
名文を味わいながら、実生活で役立つ空海の教えに触れる。人生を変える、心の整え方
720円 A 152-1

＊印は書き下ろし・オリジナル作品

表示価格はすべて本体価格（税別）です。本体価格は変更することがあります